TANIGUCHI & KAWAKAMI

LES ANNÉES DOUCES

TOME 1

Dessin : Jirô Taniguchi
D'après le roman de Hiromi Kawakami
Traduit du japonais par Elisabeth Suetsugu
Adaptation de la traduction par Corinne Quentin

casterman écritures

SENSEI NO KABAN
D'après le roman de Hiromi Kawakami
Sensei no kaban / Les Années douces
(Heibonsha, Bunshun bunko, Shinchô bunko, pour l'édition japonaise
et Éditions Philippe Picquier pour l'édition française)

Adaptation graphique et lettrage : Vincent Lefrançois (Atelier Décalé)

www.casterman.com

ISBN 978-2-203-02975-0

Achevé d'imprimer en juillet 2010 en Italie par Lego. Dépôt légal : août 2010 ; D. 2010/0053/498.

Première rencontre
La Lune et les Piles
Je ne dis pas Monsieur le professeur.

cuiii

cui

cui
cui

Je l'appelle « le maître ».

Sans majuscule,
le maître, simplement.

Les Années douces

Sommaire

BONSOIR !

VOUS AVEZ DE LA PLACE AU COMPTOIR.
INS-TALLEZ-VOUS.

AH !
EXCUSEZ-MOI.
KATAC

OUF... D'ABORD UNE BIÈRE.
ET PUIS...
DU SOJA FERMENTÉ AU THON.
DES TIGES DE LOTUS FRITES.
DES ÉCHALOTES AU SEL.
C'EST PARTI.

DES ÉCHALOTES AU SEL.
DES TIGES DE LOTUS FRITES.

DU SOJA FERMENTÉ AU THON.
ÇA ROULE !
...

TSUKIKO OMACHI ? JE ME TROMPE ?
CROC

CROC

JE VOUS VOIS, DE TEMPS EN TEMPS...
... ICI, VOUS SAVEZ.
... AH.

C'EST LA PREMIÈRE FOIS...
... QU'ON SE RETROUVE CÔTE À CÔTE.
J'ai essayé de me rappeler qui c'était.

Un flacon de saké.
Une assiette de lamelles de baleine fumée.

Un petit bol avec encore un peu d'algues au vinaigre.

Je reste confondue par la similitude de mes goûts avec ceux de ce digne vieillard.

À L'ÉPOQUE, VOUS AVIEZ UNE FRANGE, NON ?

Alors je revois...

... sa silhouette debout sur l'estrade de la classe.

Oui...
C'était un de mes professeurs au lycée.

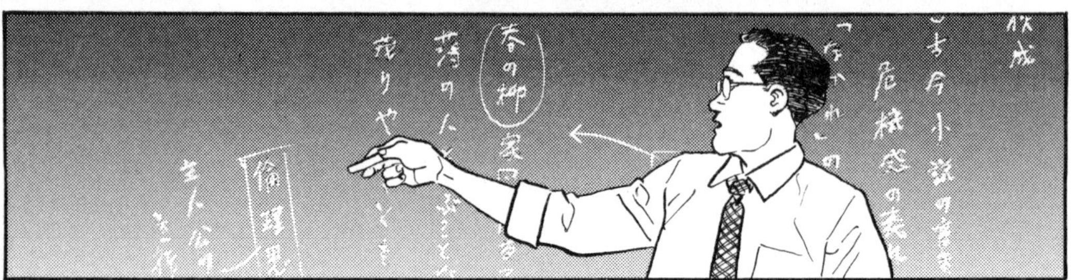

Mais je ne retrouvais pas son nom.

À CE QUE JE VOIS, LE FAIT D'ÊTRE UNE FEMME NE VOUS EMPÊCHE PAS DE VENIR SEULE...
... DANS CE GENRE D'ENDROIT.
NON.

JE VOUS AI VUE ICI À PLUSIEURS REPRISES. JE SAVAIS QUE JE VOUS CONNAISSAIS...
AH...

VOUS AUREZ TRENTE-HUIT ANS CETTE ANNÉE, NON ?

TANT QUE L'ANNÉE N'EST PAS FINIE, JE N'AI QUE TRENTE-SEPT ANS.

OUI.
PARDON ! PARDON !

CE N'EST RIEN.
SLURP

J'AI VÉRIFIÉ SUR LA LISTE DES ÉLÈVES ET EN REGARDANT L'ALBUM DE PHOTOS...
AH BON.

GLOUP

VOTRE VISAGE N'A PAS CHANGÉ, VOUS SAVEZ.

VOUS NON PLUS, VOUS N'AVEZ PAS CHANGÉ.
J'AIMERAIS VOUS CROIRE...

Pour ne pas montrer que je ne retrouvais pas son nom, j'ai dit simplement « vous ».
Depuis ce jour, mon ancien professeur est devenu « le maître ».

Ce soir-là, nous avons bu cinq flacons de saké à nous deux.
C'est lui qui a réglé l'addition.

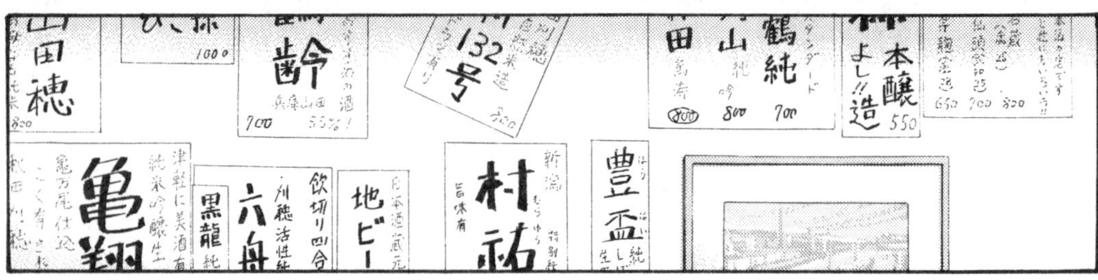

La fois suivante, quand nous nous sommes retrouvés dans le même troquet, c'est moi qui ai payé.
À partir de la troisième fois, nous avons payé chacun notre part.

Depuis, nous avons conservé ce système.

En bonne et due forme, je devrais dire le professeur Harutsuna Matsumoto, mais moi je l'appelle « le maître ».

たかなし
Asahi
小料理
チヨコ
清酒
手料理
あおい
Je suis allée plusieurs fois chez le maître.

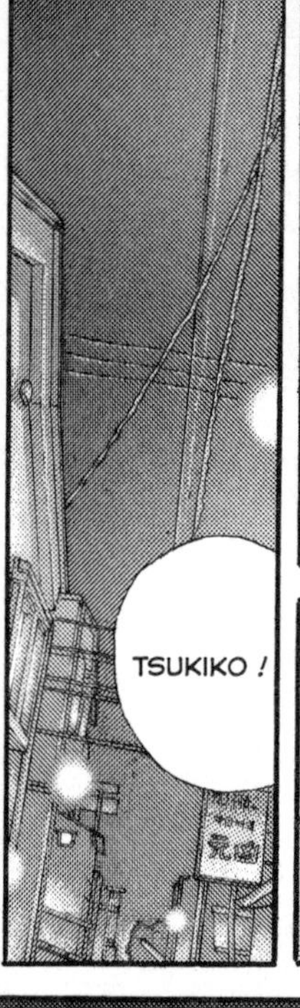
TSUKIKO !

IL EST ENCORE TÔT.
OUI.

ON VA DANS UN AUTRE ENDROIT ?
D'AC-CORD.

Après notre troquet habituel, il nous arrive d'aller dans un deuxième.

Nous pouvons aussi...

... rentrer chacun de notre côté.

Parfois, nous faisons la tournée de trois, voire de quatre endroits. Mais c'est rare.

QU'EST-CE QU'ON PREND ?
DES ÉPINARDS À LA SAUCE DE SÉSAME ?

OUI. ET PUIS DES LAMELLES DE DAIKON SÉCHÉ AVEC...

... DES AUBERGINES AU MISO.
OUI, TRÈS BIEN.
NOUS AVONS VRAIMENT LES MÊMES GOÛTS POUR LES CHOSES UN PEU RARES.

EST-CE QU'ON SE RESSEMBLERAIT ?
VOUS ET MOI ?

COMMENT ÇA ?!

MAIS NON...
... PAS PHYSIQUEMENT !
COMMENT DIRE...
EUH...

NOS TEMPÉRAMENTS.
C'EST ÇA !

Si nous continuons à fréquenter notre troquet, oui, c'est que nous nous ressemblons.
Nous n'avons pas seulement les mêmes goûts rares.
Sans doute notre façon d'être avec l'autre convient-elle aussi à chacun.

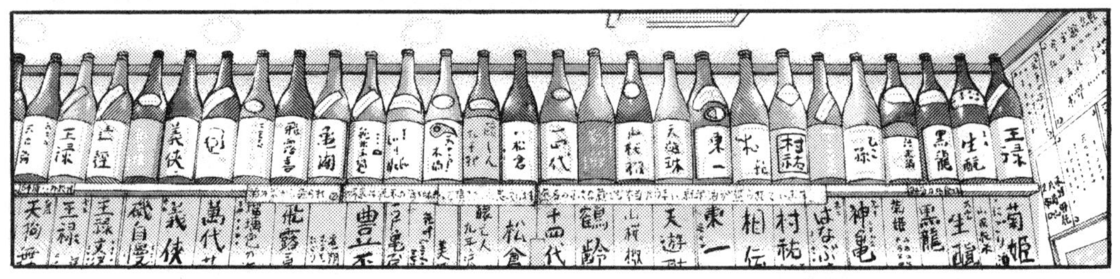

Plus de trente années nous séparent...
... mais je me sens infiniment plus proche de lui que de certains amis du même âge que moi.

AH...
ON VOIT LA LUNE.

TSU-KIKO !
VENEZ CHEZ MOI !
EUH ...

J'HABITE À DEUX PAS.
JE N'AI RIEN DE SPÉCIAL À VOUS OFFRIR MAIS...
... PRENONS UN DERNIER VERRE.
OUI.

MAIS... JE...

Ce jour-là, nous venions de quitter le troisième bistrot.
NE VOUS INQUIÉTEZ PAS.
JE VIS SEUL.

L'alcool ayant tendance
à me rendre intrépide,
je l'ai suivi.

GNNII

FSHHH

BLLLL

TENEZ. BUVEZ.
POC

OUPS...

LES ARBRES DU JARDIN, QU'EST-CE QUE C'EST ?
TOUS LES ARBRES ?
QUE DES CERISIERS !
TOUS. ABSOLUMENT. MA FEMME AIMAIT LES CERISIERS...

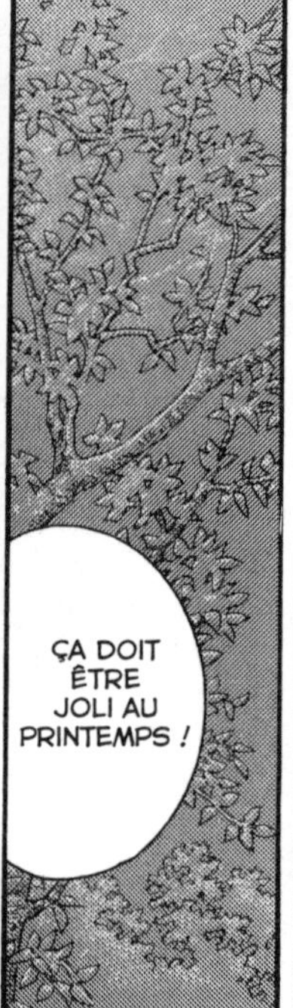
ÇA DOIT ÊTRE JOLI AU PRINTEMPS !

ÇA ATTIRE LES INSECTES.

À L'AUTOMNE, IL Y A DES FEUILLES MORTES PARTOUT.
ET EN HIVER, IL NE RESTE QUE DES BRANCHES, ÇA FAIT DÉSOLÉ...
...

MA FEMME ÉTAIT TOTALEMENT IMPRÉVOYANTE.
CE QU'ELLE AIMAIT, ELLE L'AIMAIT SANS MÉLANGE. PAREIL POUR CE QU'ELLE N'AIMAIT PAS.
AH BON ?

CES AMUSE-GUEULES VIENNENT DE NIIGATA. ILS SONT PIMENTÉS, J'AIME BIEN.

CROC
CROC

CROC
CROC

cui
cui

EST-CE QU'IL Y A UN NID ?

...

MAÎ-TRE !

MAÎTRE !

TSUKIKO, VOULEZ-VOUS QUE JE VOUS MONTRE QUELQUE CHOSE ?
PAR-DON ?

VOUS ALLEZ VOIR.

VOILÀ.
J'AI TROUVÉ !

REGARDEZ, TSUKIKO !
OUI ?

QU'EST-CE QUE C'EST ?
DES THÉIÈRES DE TRAIN.

DES THÉIÈRES DE TRAIN ?

AVANT, QUAND ON VOYAGEAIT, ON ACHETAIT UNE BOÎTE-REPAS, ACCOMPAGNÉE D'UNE THÉIÈRE.

MAINTENANT, ON VEND LE THÉ DANS DES RÉCIPIENTS EN PLASTIQUE.
MAIS AUTREFOIS, ON LE VENDAIT DANS CES THÉIÈRES.

VOUS EN FAITES COLLECTION ?
C'EST ÇA ?

PAS VRAIMENT.
JE LES AI TOUTES ACHETÉES EN VOYAGE, EN MÊME TEMPS QU'UNE BOÎTE-REPAS.
VOYONS...
CELLE-CI DATE DE L'ANNÉE OÙ JE SUIS ENTRÉ À L'UNIVERSITÉ. J'AI FAIT UN VOYAGE DANS LA RÉGION DE SHINSHÛ.

CELLE-CI, C'ÉTAIT PENDANT LES VACANCES D'ÉTÉ, UN VOYAGE À NARA AVEC UN COLLÈ-GUE.

CELLE-LÀ...

... C'ÉTAIT PENDANT NOTRE VOYAGE DE NOCES. À L'ALLER. JE L'AI ACHETÉE À ODAWARA.
AH BON.

POUR NE PAS LA CASSER, MA FEMME L'A ENVELOPPÉE DANS DU PAPIER JOURNAL ET MISE AU MILIEU DES VÊTEMENTS.
ELLE L'A CONSERVÉE AINSI PENDANT TOUT LE VOYAGE.
OH...

FIGUREZ-VOUS QUE...
... JE SUIS INCAPABLE DE JETER.

ET...
IL Y A ENCORE D'AUTRES CHOSES.

ÇA...

1959.9
CE SONT DES PILES DATANT DE L'ANNÉE DU TYPHON DE LA BAIE D'YSE.

À TÔKYÔ AUSSI, UN ASSEZ GROS TYPHON A SÉVI.
EN UN ÉTÉ, J'AI USÉ TOUTES LES PILES DE MA LAMPE DE POCHE !
ÇA, C'EST QUAND J'AI ACHETÉ MON PREMIER LECTEUR DE CASSETTES.

IL FALLAIT HUIT PILES, QUI S'USAIENT TOUT DE SUITE.
LES SYMPHONIES DE BEETHOVEN, PAR EXEMPLE...
COMME JE LES RÉÉCOUTAIS PLUSIEURS FOIS...

... J'USAIS TOUTES LES PILES EN QUELQUES JOURS.

JE NE POUVAIS QUAND MÊME PAS CONSERVER LES HUIT.
ALORS JE N'EN GARDAIS QU'UNE.
JE LA CHOISISSAIS AU HASARD, LES YEUX FERMÉS.

IMPOSSIBLE DE JETER PUREMENT ET SIMPLEMENT CES PAUVRES PILES QUI ONT TRAVAILLÉ POUR MOI.

CES PILES QUI ONT PRODUIT DE LA LUMIÈRE OU DU SON...
... QUI ONT FAIT TOURNER UN MOTEUR. TOUT ÇA POUR MOI...
CE SERAIT CRUEL DE LES JETER DÈS QU'ELLES SONT MORTES.

VOUS N'ÊTES PAS DE MON AVIS, TSUKIKO ?

... ?

SI.

LA LUNE...
ELLE EST BIEN BASSE À PRÉSENT.

SI ON SE PRÉPARAIT UN THÉ ?
DANS UNE THÉIÈRE DE TRAIN.

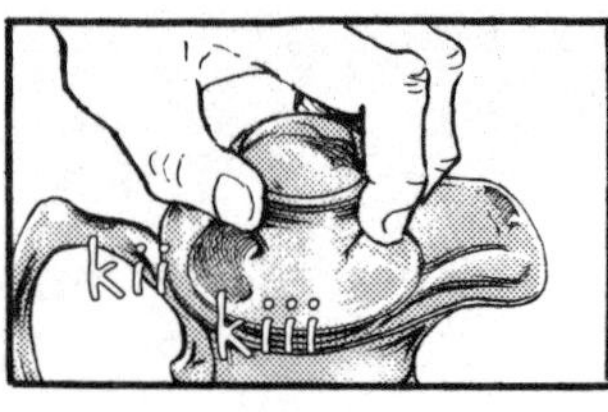

SHHH

CETTE THERMOS AUSSI, ELLE EST ANCIENNE.
UN CADEAU D'ÉLÈVES.
DE FABRICATION AMÉRICAINE. L'EAU BOUILLANTE QUE J'AI MISE DEDANS HIER EST ENCORE CHAUDE !
C'EST VRAIMENT D'UNE EXCELLENTE QUALITÉ !

FUUU

SLURP

Brusquement, l'alcool m'a fait de l'effet. Ce que je voyais autour de moi m'a paru très attirant.

MAÎTRE !
EST-CE QUE JE PEUX JETER UN COUP D'ŒIL ?
JE VOUS EN PRIE.

ÇA...
C'EST QUOI ?
HEIN ?
QUOI DONC ?
AH, ÇA ?
C'EST UN TESTEUR.
UN TESTEUR ?
EH BIEN ...
VOUS VOYEZ...
...
CECI...
COMME ÇA...
OH !
TSUKIKO, REGARDEZ.
OH !
L'AIGUILLE OSCILLE.
IL RESTE DONC ENCORE DU COURANT.
ELLE EST ENCORE UN PETIT PEU VIVANTE.

Le maître a testé plusieurs piles, l'une après l'autre.
OH !
CELLE-CI...

TIMIDEMENT... ELLE VIT ENCORE.

POURTANT, DANS QUELQUE TEMPS, ELLES FINIRONT TOUTES PAR MOURIR !

ELLES TERMINERONT LEUR VIE DANS CETTE COMMODE.
OUI.
C'EST SANS DOUTE CE QUI VA SE PASSER.

ENCORE UN VERRE ?
TSUKIKO ?

ZUT ! IL RESTAIT DU THÉ DANS VOTRE TASSE !
CE SERA DU SAKÉ AU THÉ !

LE SAKÉ NE DOIT JAMAIS ÊTRE COUPÉ !
ÇA NE FAIT RIEN !
VRAIMENT. ÇA IRA COMME ÇA.

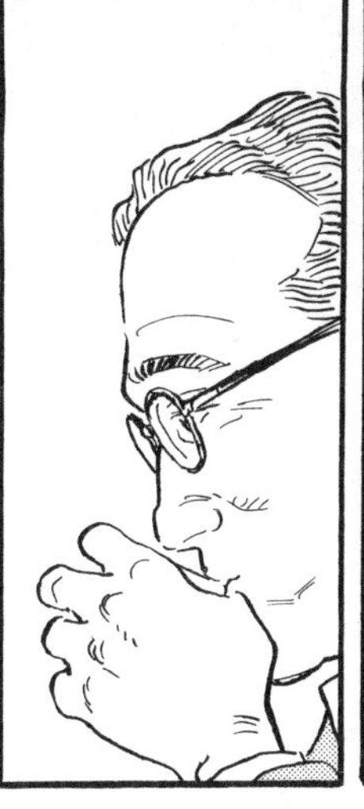

TREMBLANT LE SAULE
BLANCHE LA RIVIÈRE DANS LA NUIT
ET AU-DELÀ, DANS LA FUMÉE DES PRÉS

QU'EST-CE QUE C'EST ?
UNE SORTE DE SUTRA ?
TSUKIKO !

DITES-MOI...
VOUS NE SUIVIEZ PAS BIEN LES COURS DE JAPONAIS, HEIN ?

ON N'A PAS VU ÇA EN COURS !
C'EST DE SEIHAKU IRAKO, VOYONS !

SEIHAKU IRAKO ?
JE N'AI JAMAIS ENTENDU CE NOM.

UNE FEMME QUI SE VERSE ELLE-MÊME DU SAKÉ ! VOUS FAITES ÇA, VOUS ?
MAÎTRE, VOUS ÊTES UN PEU VIEUX JEU !

VIEUX JEU...
ET FIER DE L'ÊTRE.

ET AU-DELÀ, DANS LA FUMÉE DES PRÉS
À PEINE PERCEPTIBLE, LE SON D'UNE FLÛTE
ÉMEUT LE CŒUR DU VOYAGEUR
Le maître a continué à réciter le poème.

Deuxième rencontre

Les Poussins

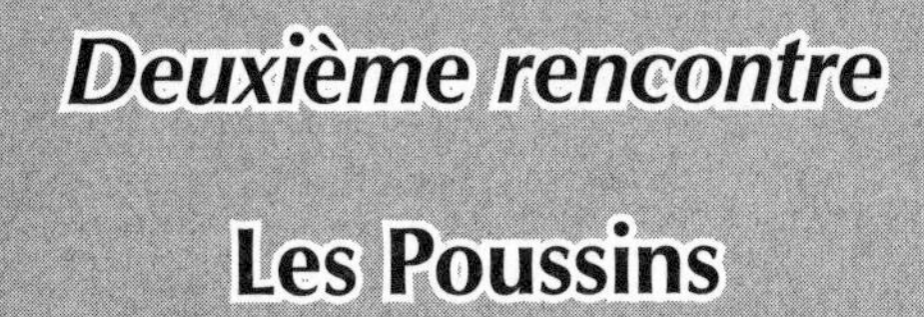

C'est le maître qui m'a proposé d'aller à un marché qui se tient tous les huit du mois.

LES 8, 18 ET 28.
CE MOIS-CI, LE 28 TOMBE UN DIMANCHE...

... JE SUPPOSE QUE C'EST LE MEILLEUR JOUR POUR VOUS.
LE 28 ? ...

EUH...
ÇA DEVRAIT ALLER...
Je savais bien que je n'avais rien de prévu ce jour-là.

LE 28 ...

OUI.
ÇA ME VA.
BIEN.

Memo
NOUS NOUS RETROUVERONS À MIDI.

C'EST UN MARCHÉ DE QUOI ?
SUP
UN MARCHÉ, TOUT SIMPLEMENT !

ON Y TROUVE DE TOUT POUR LA VIE DE TOUS LES JOURS.
UN MARCHÉ, SIMPLEMENT.
... TOUT POUR LA VIE DE TOUS LES JOURS ...

Pour moi, c'était quelque peu singulier.

Siroter du saké, l'un à côté de l'autre,
dans notre habituel troquet...
... c'est plutôt cela,
notre style de rencontre.

Je dis rencontre, mais en fait, nous ne nous fixons pas rendez-vous.
Nous nous retrouvons par hasard, à la même heure, au même endroit.

Il nous arrive de passer des semaines sans nous voir.
Comme nous pouvons nous retrouver plusieurs soirs de suite.

Le maître n'aime pas qu'on lui remplisse son verre.
Il se sert lui-même, soigneusement.

Une fois, je l'ai servi pour trinquer avec un premier verre de bière.
清酒
あおい
小料理
チドリ
三好

MERCI.

ALORS...
SANTÉ !

HMM
MMM
GLOUP

MMM
MMM

HUP
HMM

JE VOUS REMERCIE.
NE VOUS DONNEZ PAS CETTE PEINE.
...

J'AIME ME SERVIR MOI-MÊME.

Depuis, je ne lui verse plus à boire.

Cela me rappelle ce qu'un collègue
de bureau m'avait déclaré une fois.

ON SENT PAS DE COQUETTERIE...
COMMENT DIRE...

... DANS TA MANIÈRE DE SERVIR LE SAKÉ !
AH BON !
... TU TROUVES ?

SI C'EST ÇA, SERS-NOUS, TOI.

T'ÉNERVE PAS... MOI, JE TE LE DIS : C'EST ÇA LA FORCE DE SÉDUCTION.

TU PENSES PAS QUE C'EST UN PEU RINGARD ?
HEIN ?

CHERCHER UNE QUELCONQUE SÉDUCTION CHEZ UNE FEMME QUI SERT À BOIRE !
HA HA HA !
BIEN DIT, OMACHI !
T'ES GÉNIALE !

Comment a-t-il pu se méprendre à ce point ?...

OMACHI !

OUI ? QUOI ?

MAIS !?

AH...

TU N'AS PAS BESOIN D'AVOIR PEUR !

EUH...

AUJOUR-D'HUI N'EST PAS DE BON AUGURE...

... PAS DE BON AUGURE ?

C'EST UN JOUR *TOMOBIKI* !

ET DEMAIN EST UN JOUR ROUGE DANS LE CALENDRIER CHINOIS !
QUOI ?

...

SALUT.

HIHIHI

AH, MERCI.
JE VOUS EN PRIE.

Mais lui, parfois, me remplit mon verre.

VOUS ÊTES EN AVANCE. VOUS AVEZ BEAUCOUP ATTENDU ?
NON.
À PEINE CINQ MINUTES.

Le temps était splendide ce dimanche-là.

LES ORMES SE BALANCENT BIEN.
IL N'Y A POURTANT PRESQUE PAS DE VENT.

VROOOO

Nous nous voyons rarement en plein jour.
VROooo
IL FAIT FRAIS.
À L'OMBRE.
OUI.
VOTRE CHEMISE.
ELLE VOUS VA BIEN.
OH !
PAS TANT QUE ÇA...

*Boîte pour plat à emporter.

**Spécialité coréenne: légumes, souvent du chou chinois, fermentés dans du piment.

ON VOIT QUE VOUS ÊTES HABITUÉ À CHOISIR !

JE VIS SEUL, ALORS...
ET VOUS, TSUKIKO, FAITES-VOUS LA CUISINE ?
QUAND J'AI UN AMI, OUI, SINON...

AH.
C'EST NATUREL. MOI AUSSI, JE DEVRAIS PEUT-ÊTRE ESSAYER D'AVOIR UNE OU DEUX AMIES...

DEUX, CE NE SERAIT PAS SIMPLE !
NON, JE VEUX DIRE...
... DEUX, CE SERAIT LA LIMITE.
SALE

ET VOILÀ VOTRE COMMANDE.
MERCI BEAUCOUP.

LES BOÎTES NE SONT PAS DE LA MÊME TAILLE ! NOUS AVONS COMMANDÉ LA MÊME CHOSE POURTANT.
MAIS VOUS...
... CE N'EST PAS LE SPÉCIAL QUE VOUS AVEZ DEMANDÉ, C'EST L'ORDINAIRE, NON ?

ALLEZ ! PAS CHER !
QUE DU BON !

DERNIER ARRIVAGE DE LÉGUMES !
TOUT FRAIS. ILS SONT EXCELLENTS !

PAR ICI, IL Y A QUARANTE ANS, AU MOMENT DU TYPHON...
... TOUT A ÉTÉ DÉTRUIT PAR L'EAU.

BEAUCOUP DE GENS SONT MORTS AUSSI.
L'ANNÉE QUI A SUIVI LES PLUIES TORRENTIELLES, LE MARCHÉ A CONSIDÉRABLE-MENT RÉDUIT.

MAIS APRÈS, IL A RETROUVÉ SON ENVERGURE ET REPRIS SON RYTHME, TROIS FOIS PAR MOIS.
DEPUIS, CHAQUE ANNÉE, IL DEVIENT ENCORE PLUS ANIMÉ.

PAR ICI.
VENEZ.

PIP

Au distributeur, le maître a acheté deux canettes d'infusion de riz complet.
高崎屋
BLING

Dans un petit square, un peu en retrait
et désert, assis côte à côte sur un banc, nous
avons ouvert nos boîtes à pique-nique.
C'EST TRÈS CALME...
... ICI.
ALORS QU'IL Y A UNE TELLE FOULE JUSTE À CÔTÉ !

LE KIMCHI SENT FORT !
LE VÔTRE, C'EST LE SPÉCIAL !
EN TOUT CAS, C'EST COMME ÇA QU'IL S'APPELLE.

QUELLE DIFFÉRENCE ...
... AVEC L'ORDI-NAIRE ?

PAS UNE TRÈS GRANDE, ON DIRAIT...

CROC
TSUKIKO, À VOUS VOIR MANGER, ON DIRAIT QUE C'EST DÉLICIEUX !

... ÇA SEMBLE SI BON !

AH BON ?
C'EST MAL ÉLEVÉ, CE QUE JE FAIS, EXCUSEZ-MOI !
CROC
PAS TRÈS ÉLÉGANT, C'EST VRAI, MAIS...

Au-delà d'un ensemble d'échoppes avec toutes sortes d'objets, les étals de nourriture sont devenus plus nombreux.
Le maître s'arrêtait devant chacun pour jeter un œil.

TSUKIKO, CE POISSON A L'AIR TRÈS FRAIS !
MAIS IL Y A DES MOUCHES AUTOUR.

LES MOUCHES TOURNENT TOUJOURS AUTOUR DE QUELQUE CHOSE !

REGARDEZ, DES POUSSINS !
OUAH !

Piu
HA HA !
ILS SONT MIGNONS !
Piu
Piu
Piu
SAVEZ-VOUS QU'IL EST DIFFICILE DE DISTINGUER UN MÂLE D'UNE FEMELLE ?
Piu
Piu

Nous bavardions ainsi, en regardant les étals pour le plaisir, sans rien acheter.

MAMAN !
ELLES ONT L'AIR BONNES, CES CAROTTES !
JE CROYAIS QUE TU DÉTESTAIS ÇA, LES CAROTTES !

BEN OUI, MAIS CELLES-LÀ ELLES SONT APPÉTISSANTES !
HA HA !
BRAVO, PETIT ! TU AS L'ŒIL !

MES LÉGUMES...
... 'Y A PAS MEILLEUR !
TU VOIS !
IL DIT QU'ELLES SONT BONNES.

À VOTRE AVIS, ELLES SONT VRAIMENT BONNES ...
... CES CAROTTES ?
MMM ... ?

ELLES ONT L'AIR DE CAROTTES ORDINAIRES !
HA HA.

Nous avancions dans la foule en jouant des coudes.

Par moments, je ne voyais plus le maître, caché par les gens.
Alors je le cherchais.

Lui, il ne se retournait jamais pour savoir si je le suivais ou non.

Dès qu'un étal
attirait son attention,
il s'arrêtait devant.

MAMAN !
ELLES ONT L'AIR BONNES, CES MORILLES CONIQUES !
JE CROYAIS QUE TU DÉTESTAIS LES MORILLES CONIQUES !

BEN OUI, MAIS CELLES-LÀ ELLES SONT APPÉTISSANTES !

C'ÉTAIT DONC ÇA ! ILS SONT DE MÈCHE AVEC LE MARCHAND.

UNE MÈRE ET SON ENFANT COMME COMPÈRES, C'EST BIEN PENSÉ !
MAIS FAIRE DIRE MORILLE CONIQUE À UN ENFANT, C'EST UN PEU EXAGÉRÉ !

ILS DEVRAIENT SE CONTENTER DE LE FAIRE PARLER DES CÈPES.

Nous continuions à avancer
comme portés par le flot de la foule.

Les échoppes de
marchandises d'électro-
ménager se faisaient
plus nombreuses.

Nous avons
entendu le
faible son
d'un violon.

C'était un air
d'autrefois,
très simple.

Le maître a écouté,
sans bouger, jusqu'à
la fin du morceau.

VOUS N'AVEZ PAS SOIF ?
カステ

SI, MAIS COMME NOUS ALLONS BOIRE DE LA BIÈRE TOUT À L'HEURE...
... JE NE VEUX RIEN AVALER JUSQUE-LÀ.
OH !

MENTION BIEN !

C'ÉTAIT UN EXAMEN ?

EN MATIÈRE DE BOISSON, TSUKIKO, VOUS ÊTES UNE EXCELLENTE ÉLÈVE !
JE NE DIRAIS PAS LA MÊME CHOSE DE VOS RÉSULTATS EN LITTÉRATURE JAPONAISE...
C'était l'heure où la touffeur atteignait son sommet, avant de commencer à décliner.
L'approche du soir se faisait peu à peu sentir, de façon ténue.

Troisième rencontre
Vingt-deux étoiles

Tout a commencé à cause de la radio.
オトメ
ケンビシ
剣菱

RETRAIT SUR TROIS PRISES ! DEUX JOUEURS ÉLIMINÉS !
HUITIÈME JEU NUL POUR L'ÉQUIPE HANSHIN !
BLLLL
BONSOIR !

LE POT-AU-FEU EST À QUOI ?
À LA MORUE.

AH !
TRÈS BIEN.

ALORS ...
... JE VOUS EN PRÉPARE UN ?
NON.

JE VAIS PRENDRE DES OURSINS AU SEL.

BALLE RAPIDE !
ÇA C'EST EXCELLENT !
RETOUR AU CENTRE !

TSUKIKO, QUELLE EST VOTRE ÉQUIPE FAVORITE ?
AUCUNE.

MOI, C'EST LES GIANTS, BIEN ENTENDU.
...

BIEN ENTENDU ?

OUI, BIEN ENTENDU.
Moi, je déteste les Giants.

Avant, je m'affichais clairement « anti-Giants ».
Mais un jour, quelqu'un m'a dit que les anti-Giants seraient en fait des tordus dans l'incapacité d'avouer qu'ils aiment cette équipe.
Cette remarque...

... a eu un certain écho en moi.
C'était un peu vexant.
BALLE COURBE !
ELLE EST PASSÉE !

OH.
MMM.
TAKAHASHI A DÉPASSÉ LA TROISIÈME BASE !

HOME RUN !
MAGNIFIQUE REMONTÉE DES GIANTS !

4 À 3.

TAP
TAP
TAP

QU'EST-CE QUE VOUS AVEZ ? POURQUOI TAPEZ-VOUS DES PIEDS ?
HEIN ?

IL FAIT FROID QUAND VIENT LE SOIR.

OUAH !
BALLE GLISSANTE !
ELLE EST PASSÉE !
APRÈS ABE, C'EST SAKAMOTO QUI VIENT REJOINDRE LA BASE !

VOILÀ UN COUP SÛR !
BRAVOO !
DEUX POINTS SUPPLÉMENTAIRES POUR LES GIANTS.
AVEC ÇA, ILS ONT GAGNÉ !

MMM...
ZUT !

VOUS N'AIMEZ PAS LES GIANTS ?
...

GLUPS

Je me sentais devenir agressive.
Ma haine des Giants s'était réveillée.

JE LES DÉTESTE !
OH ?!

UNE JAPONAISE QUI HAIT LES GIANTS !
ET ALORS ? IL FAUT ABSOLUMENT LES AIMER ?

BELLE BALLE FRONDE D'ARAI !
OUAH !
SUPER !
FIN DU MATCH !
VICTOIRE DES GIANTS 6 À 3. MAGNIFIQUE RENVERSEMENT DE SITUATION !

À LEUR SANTÉ !
CETTE ANNÉE, LE CHAMPIONNAT EST VRAIMENT PASSIONNANT !
DANS LA DEUXIÈME MOITIÉ DU MATCH, LES GIANTS ONT ÉTÉ TRÈS FORTS !

UNE AUTRE BIÈRE !

J'ARRIVE !
UNE ICI AUSSI !

TSUKIKO !
ILS ONT GAGNÉ !
ET ALORS ?

ALLEZ, UNE GOUTTE.
Le maître m'a servi du saké.

C'était une chose très rare.
C'était rompre notre pacte tacite.

Normalement, nous avons chacun notre flacon de saké et chacun nos plats.
Chacun se sert lui-même, chacun paie sa part.

SI VOUS LE DITES...
LA TACTIQUE DE HARA ÉTAIT GÉNIALE.

TSU-KIKO !
C'EST HEUREUX, VRAIMENT, QUEL BONHEUR !

Vraiment, ils se prenaient pour quoi ces Giants de merde !

COMME C'EST MALHEUREUX, VRAIMENT, QUEL MALHEUR !

VOUS ÊTES VRAIMENT BIZARRE.

Se permettre de réduire ainsi la distance si agréablement instaurée entre le maître et moi !?...
PAS DU TOUT.
HA HA HA ! VOUS ÊTES VEXÉE !

Je n'en revenais pas.

Ayant découvert mon hostilité envers les Giants, le maître s'amusait à me vanter leur victoire.

TSUKIKO ! DE LA MERDE ? VOILÀ UNE EX-PRESSION GUÈRE CONVENABLE DANS LA BOUCHE D'UNE JEUNE FILLE DE VOTRE ÂGE !
JE NE SUIS PLUS UNE JEUNE FILLE, FIGUREZ-VOUS !

OH ! EXCUSEZ-MOI !

Une atmosphère tendue s'est installée entre nous.
Nous avons rempli et vidé nos coupes en silence.

Bien sûr c'était la faute du maître mais je me sentais dépitée.

Nous avons fini par être complè-tement ivres, l'un comme l'autre.

Toujours sans un mot, nous avons payé notre addition et sommes sortis du bistrot.
Ensuite, nous ne nous sommes plus parlé.

Bientôt un mois a passé.
おおむら
三好

Ce n'est pas que nous ne nous rencontrions pas.
Nous nous retrouvions de temps en temps dans le même troquet, mais nous n'échangions aucun mot.

DES CHAMPIGNONS AVEC DU DAIKON RAPÉ.
ET DES ÉPINARDS BOUILLIS.

Nous nous observions réciproquement du coin de l'œil mais...

UN SAKÉ CHAUD.
ET DU RAGOÛT AUX POMMES DE TERRE.

Je l'ignorais.
Et il m'ignorait pareillement.

Il nous arrivait parfois de nous retrouver côte à côte au comptoir, mais nous restions muets.
Asahi
チョコ
あおい
おむら
BAR
AZZY

Je me rendais compte que j'étais toujours avec le maître, lui seul.

Boire du saké en compagnie de quelqu'un, me promener...
... à part avec le maître, il y avait longtemps que ça ne m'arrivait plus.

J'essayais de me rappeler avec qui je faisais ce genre de choses avant...

... mais personne ne me venait à l'esprit.

J'étais seule.
Seule je prenais le bus, seule je déambulais dans les rues, seule je faisais des courses, seule j'allais boire un verre.
GOGAN
GOGON
GOGAN
GOGON

Quand je me trouvais avec le maître, je me sentais dans le même état d'esprit que celui qui m'habitait avant, quand je faisais tout toute seule.

Mais alors, quel besoin avais-je d'être avec lui ?
KAN
KAN
KAN
POURQUOI MAINTENANT...
... CE VAGUE SENTIMENT DE CAFARD ?

Je ne savais que penser.
Comme si je m'étais sentie plus authentique avec lui que sans lui.

Authentique... C'était peut-être curieux de dire ça.
Il aurait été plus simple de se dire que notre mésentente n'était pas si grave, mais cela ne m'aurait pas satisfaite non plus de simplement l'oublier.

C'était un jour de grand vent.

J'avais dû me rendre dans le quartier Kappabashi, pour mon travail.

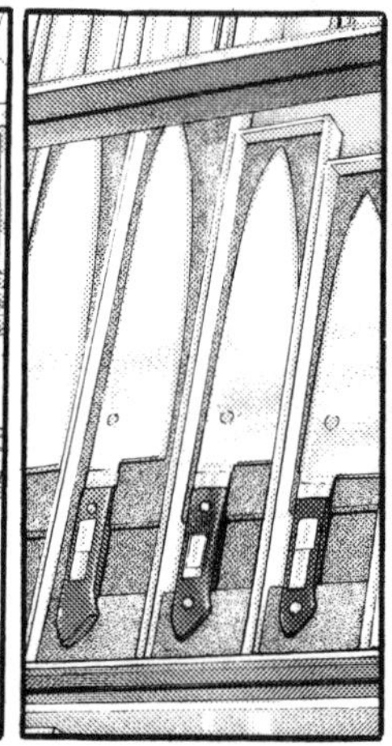

Tandis que je regardais les lames brillantes des couteaux...
... j'ai eu envie de voir le maître.

Je ne peux pas expliquer pourquoi l'éclat du métal a suscité ce sentiment...
... mais j'ai été saisie d'un désir irrésistible de le voir.

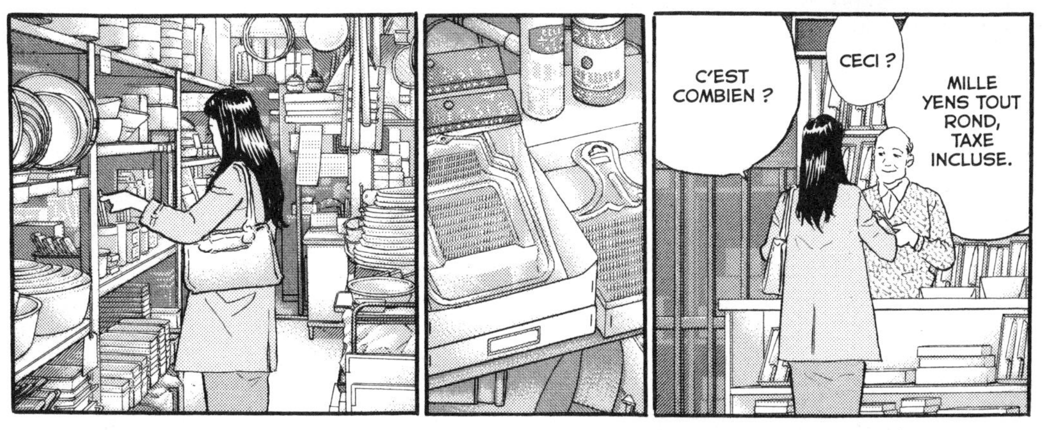
C'EST COMBIEN ?
CECI ?
MILLE YENS TOUT ROND, TAXE INCLUSE.

J'ai acheté une râpe bien aiguisée.

UN COUTEAU JURERAIT DANS SA MAISON.
ET PUIS JUSTE MILLE YENS, C'EST BIEN.
S'IL M'IGNORE ENCORE, ÇA VA M'ÉNERVER.
EST-CE QUE LE MAÎTRE VA L'ACCEPTER ?

À quelque temps de là, nous nous sommes retrouvés au troquet.
IL S'EST MIS À FAIRE RUDEMENT FROID !

C'EST VRAI.
OUI.
LA TEMPÉRATURE A BAISSÉ TOUT D'UN COUP !

VOUS POUVEZ ME FAIRE UN TOFU CHAUD ?

MOI AUSSI.
DU TOFU CHAUD.
...
ENTENDU !

EH OUI. LES GIANTS SE SONT BIEN BATTUS !
LA COUPE DU JAPON EST TERMINÉE.

L'HIVER ARRIVE.
LE FROID ! J'AIME PAS ÇA !

ON SE REMET À AIMER LE POT-AU-FEU.
ET LE SAKÉ AUSSI, PAS VRAI ?
UN SAKÉ CHAUD, S'IL VOUS PLAÎT.
ENTEN-DU.

VOUS NE VOULEZ PAS VENIR VOUS ASSEOIR ICI ?

SI, JE VEUX BIEN.

BON-SOIR.
'SOIR.

Nous avons bu chacun notre saké.

味よ志
Nous avons réglé chacun notre addition.

Il était plus tard que d'habitude.

MAÎTRE !
C'EST POUR VOUS.
QU'EST-CE QUE C'EST ?

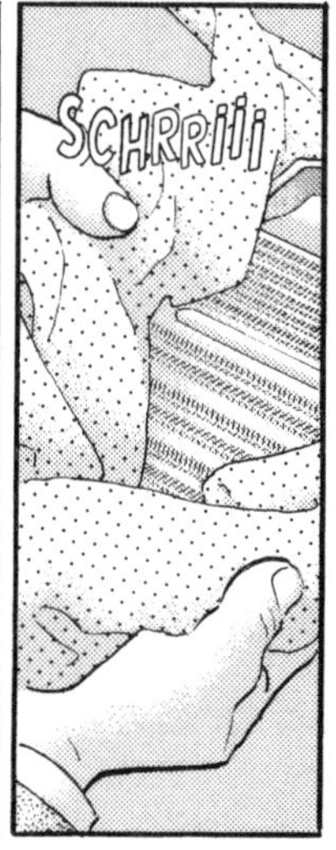
SCHRRiiii

OH !
UNE RÂPE.
OUI, UNE RÂPE.

VOUS ME LA DONNEZ ?

OUI. ELLE EST POUR VOUS.
MERCI.

Je me suis mise à marcher en comptant les étoiles.

LE BOUILLON D'IGNAME DE L'AUBERGE DE MARIKO !
QU'EST-CE QUE ÇA VEUT DIRE ?
VOUS NE CONNAISSEZ PAS NON PLUS BASHÔ ?

LE BOUILLON DE L'AUBERGE DE MARIKO.
C'EST DE BASHÔ, VOYONS !
AH !?
JE VOUS AI ENSEIGNÉ ÇA, AUTRE-FOIS !

LE BOUILLON D'IGNAME DE L'AUBERGE DE MARIKO.
C'EST BIEN ÇA ?
UN DE CES JOURS, NOUS EN PRÉPARERONS UN ENSEMBLE.

LE HAIKU DE BASHÔ EST UN POÈME DE PRINTEMPS ...
MAIS C'EST MAINTENANT QUE LES IGNAMES SONT BONNES !
OUI.

MOI, JE ME SERVIRAI DE LA RÂPE.
ET VOUS, TSUKIKO, VOUS UTILISEREZ LE MORTIER.

ALORS ...
... AU REVOIR.
BON-SOIR.

Lorsque je suis arrivée à ma porte, j'avais dénombré vingt-deux étoiles, en comptant les toutes petites.

Quatrième rencontre
La Cueillette des champignons - 1

LES CHAMPIGNONS, VOUS SAVEZ...

MOI...
... J'AIME BEAUCOUP ÇA !
AH BON.

LES MATSUTAKÉ ?
BIEN SÛR...
... JE LES AIME AUSSI, MAIS...

... RÉDUIRE LES CHAMPIGNONS AUX MATSUTAKÉ...

... C'EST AUSSI SIMPLISTE QUE LIMITER LE BASE-BALL AUX GIANTS.
...

MAIS...
... VOUS AIMEZ LES GIANTS, QUE JE SACHE.

OUI.
JE NE LE NIE PAS, MAIS...

... OBJECTIVEMENT PARLANT ...
... CETTE ÉQUIPE, CE N'EST PAS TOUT LE BASE-BALL, J'EN SUIS PARFAITEMENT CONSCIENT.
JE VOIS.

Le différend que j'avais eu avec le maître à propos des Giants était encore frais.

IL Y A UNE GRANDE VARIÉTÉ DE CHAMPIGNONS.
OUI.

PAR EXEMPLE...
SLURP

... LES PIEDS-BLEUS. QUAND ON LES MANGE JUSTE APRÈS LES AVOIR CUEILLIS, GRILLÉS AVEC QUELQUES GOUTTES DE SAUCE DE SOJA...

HUM ...
C'EST UN DÉLICE !

山桜桃
天遊琳
東一
天狗舞
村祐
はなぶさ
ET PUIS...
... LES BOLETS. QUEL PARFUM !

DITES DONC !
VOUS EN CONNAISSEZ UN BOUT SUR LES CHAMPIGNONS.

EUH...
NON...

... PAS TANT QUE ÇA.
MOI, À CETTE SAISON...
...JE VAIS TOUJOURS RAMASSER DES CHAMPIGNONS.

AH BON !
SI VOUS ÊTES À CE POINT AMATEUR...
... ÇA VOUS DIRAIT QUE NOUS ALLIONS À LA CUEILLETTE ENSEMBLE CETTE ANNÉE ?

MMMM ...

Nous venions dans ce bistrot presque un jour sur deux, mais...
飛露喜
瑠璃色の海
萬代芳
義侠
磯自慢
亀翔

... le patron ne nous traitait jamais comme des habitués.
Et jamais, bien sûr, il ne s'était adressé si familièrement à nous.

C'est un principe de cet établissement de traiter tous les clients comme s'ils venaient pour la première fois.
Et voilà que, tout à coup, le patron proposait « une cueillette ensemble » !

OÙ ALLEZ-VOUS RAMASSER DES CHAMPIGNONS ?
DU CÔTÉ DE TOCHIGI.

ALORS ?

ALLONS-Y !

D'ACCORD.

La décision était prise.
Mais nous ne savions pas bien où nous allions.

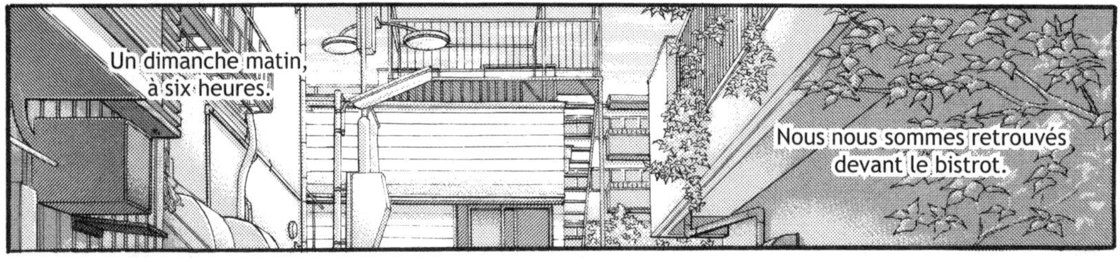
Un dimanche matin,
à six heures.
Nous nous sommes retrouvés
devant le bistrot.

BONJOUR !
BONJOUR.
AH !
BON-
JOUR !

OH !
HISSE !
PAC

C'EST VOTRE ÉQUIPEMENT POUR LA CUEILLETTE DES CHAMPI-GNONS ?
NON.

C'EST CE QUE J'APPORTE À MON COUSIN DE TOCHIGI.

AH.
DES BISCUITS DE KUSAKA ET DES ALGUES D'ASAKUSA.
ÇA, C'EST DU SAKÉ !

SACRÉ COUSIN !
IL AIME BIEN LE SAWANOI.
MOI AUSSI, FIGUREZ-VOUS !
VLAM

JE VOUS REMERCIE DE VOUS CHARGER DE NOUS AUJOURD'HUI.

HEIN ?
ALLEZ, PAS DE FAÇONS ENTRE NOUS !
MONTEZ !

Je ne savais toujours pas vraiment ce qui m'attendait...
VRR
VRRRRR

Comment en étais-je venue à monter dans cette voiture inconnue, et si tôt le matin ?
VROooo
Et puis, en quoi consistait au juste la cueillette des champignons ?

Je me sentais un peu comme après avoir bu.
Et tandis que je continuais à ne pas bien savoir ce que je faisais, la voiture roulait de plus en plus vite.

Le patron s'appelait Satoru.
Le maître avait enseigné le japonais.
Et moi, j'avais été son élève.

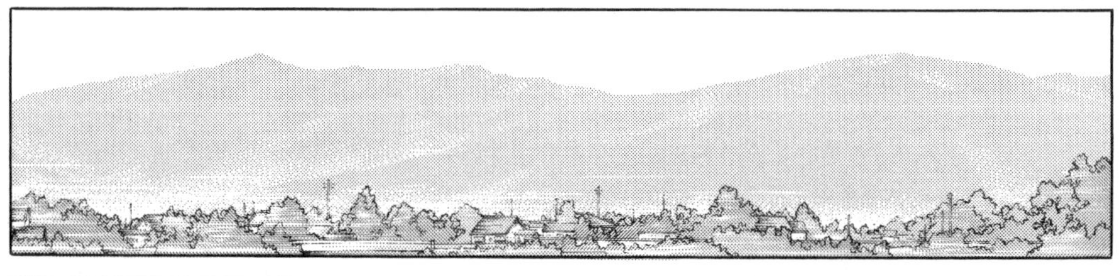

Dans la montagne où nous allions, le champignon le plus courant s'appelait « Armillaire »...
4
Ainsi, nous bavardions de choses et d'autres, tout en faisant des pauses sans rien dire.

J'avais dû m'assoupir.
Quand j'ai ouvert les yeux, la voiture était arrêtée sur un chemin de montagne.

tchip
tchip
tchip

...

ET SATORU ?
HEIN ?
OÙ PEUT-IL BIEN ÊTRE ALLÉ ?

kii
kiii

tchip
tchip
IL FAIT FRAIS...
ON SENT QU'ON EST EN MONTAGNE.

tchip
tchip
tchip

TSUKIKO !
CROYEZ-VOUS QUE NOUS POURRONS RENTRER ?
HEIN ?

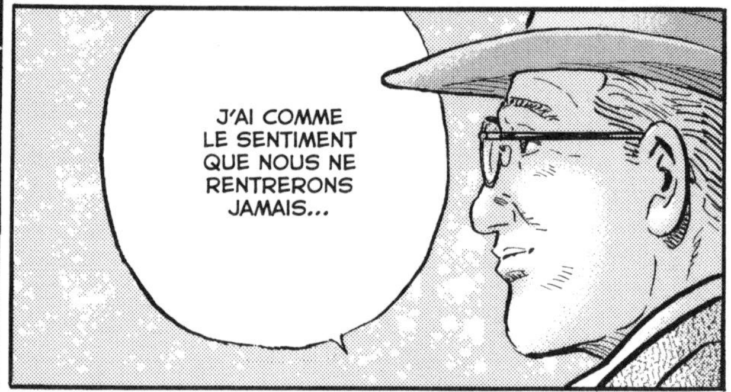
J'AI COMME LE SENTIMENT QUE NOUS NE RENTRERONS JAMAIS...

... QUE DITES-VOUS LÀ ?!
VOUS DEVEZ ÊTRE FATIGUÉ.

PAS DU TOUT.

ABSOLU-MENT PAS.
SI VOUS VOULEZ, NOUS POUVONS REBROUSSER CHEMIN.

RE-BROUS-SER CHEMIN ?
COMMENT ÇA ?
EUH...

NON, CONTI-NUONS.
COMME ÇA. ENSEMBLE. JUSQU'AU BOUT.
HEIN ?

BONJOUR !

AH.
BON-
JOUR.

C'EST MON
COUSIN,
TÔRU.
VOUS
VOUS
RESSEM-
BLEZ.

IL PARAÎT QUE
VOUS AIMEZ LE
SAWANOI, TÔRU ?
OUI.
VLAM
LE SAKÉ DE
TOCHIGI EST
POURTANT
MEILLEUR.

tchip
tchip

Pendant une demi-heure environ
nous avons grimpé un chemin caillouteux.
VRRRRR

ET UN...
ET DEUX ...
ET TROIS ...
ET QUATRE ...
HA !
HA !
VOUS AVEZ L'INTENTION DE MONTER DANS CETTE TENUE ?
OUI.

VOUS ALLEZ VOUS SALIR.
AUCUNE IMPORTANCE.

VOUS POURRIEZ LAISSER VOTRE SERVIETTE ?
NON.
CE N'EST PAS NÉCESSAIRE.

Nous avons commencé à gravir un sentier.
Tôru en tête, Satoru fermant la marche.
tchip
tchip

HA
HA

ÇA GRIMPE FERME, HEIN ?
OUI, PLUTÔT !
FUUU

ON VA MONTER EN DOUCEUR.
SANS FORCER.
OUI.

TAC
TAC
TAC
TAC

TAC
TAC
TAC
TAC
TAC
ÇA...
C'EST UN COUCOU ?

NON.
PAS UN COUCOU, UN PIC-VERT.

JE SUIS SURPRIS QUE VOUS CONNAISSIEZ LE COUCOU.
MAIS LÀ, C'EST LE BRUIT DU PIC-VERT QUI PICORE LE TRONC DES ARBRES POUR TROUVER DES INSECTES.

TAC
TAC
TAC
QUEL TAPAGE !

TAC
TAC
TAC
TAC
TAC
TAC
TAC
TAC
TAC

Le chemin devenait de plus en plus raide, étroit comme ces sentiers qu'empruntent les bêtes de la forêt.
L'air était frais, pourtant je me suis mise à transpirer.

HAAA
HUUU

Jetant un regard vers le maître, j'ai constaté qu'il marchait calmement, avec aisance.

DITES !
VOUS FAITES SOUVENT DES RANDONNÉES EN MONTAGNE ?
AH BON ...
CETTE PROMENADE NE MÉRITE PAS LE NOM DE RANDONNÉE, VOYONS !
TSUKIKO !
TAC TAC TAC
ÉCOUTEZ ! ENCORE LE BRUIT DU PIC-VERT QUAND IL CHERCHE DES INSECTES !
HAAA
FUUUU
TSUKIKO, VOUS ÊTES PLUS JEUNE !
ALLEZ, COURAGE !
VOUS ÊTES DRÔLEMENT EN FORME, PROFESSEUR !
Je continuais à avancer, tête baissée.
J'avais l'impression que le chemin n'en finirait jamais de monter.

tchip
tchip
OUI, C'EST PAR ICI.
ON Y EST, NON ?
FUU
HAAA
LÀ, IL Y EN A !
REGARDEZ BIEN PAR TERRE !
FAITES ATTENTION À NE PAS MARCHER DESSUS !

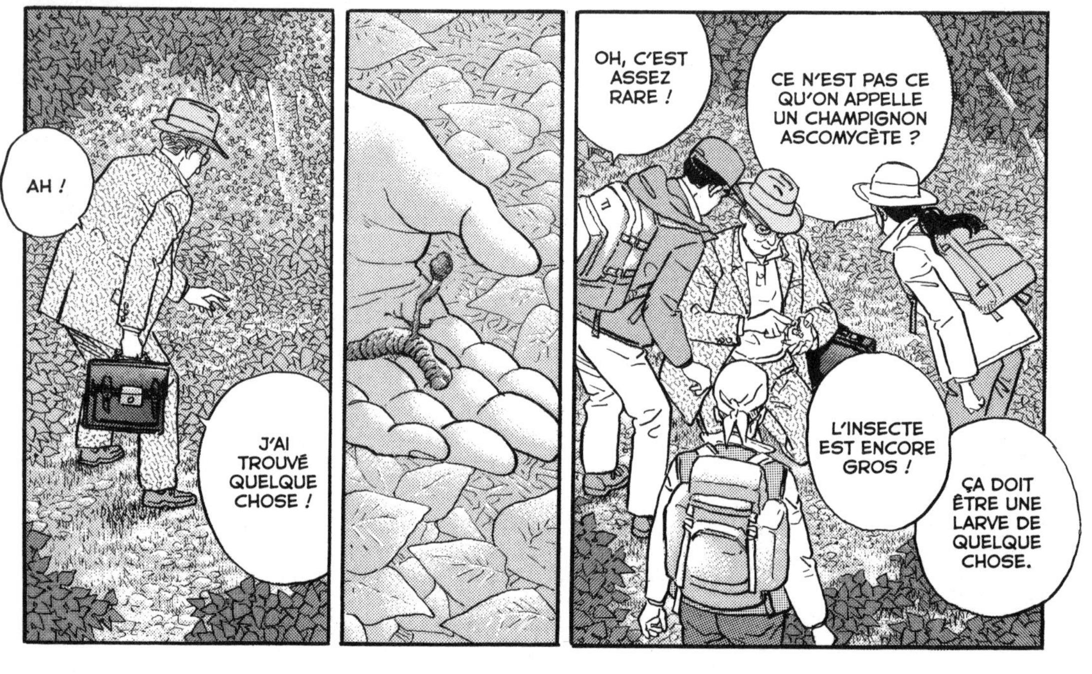
AH !
J'AI TROUVÉ QUELQUE CHOSE !
OH, C'EST ASSEZ RARE !
CE N'EST PAS CE QU'ON APPELLE UN CHAMPIGNON ASCOMYCÈTE ?
L'INSECTE EST ENCORE GROS !
ÇA DOIT ÊTRE UNE LARVE DE QUELQUE CHOSE.

QU'EST-CE QUE C'EST ?

ÇA S'ÉCRIT AVEC QUATRE IDÉO-GRAM-MES.

冬虫夏草
HIVER, INSECTE, ÉTÉ, HERBE.

TSUKIKO, JE SUPPOSE QUE VOUS N'ÉCOUTIEZ PAS NON PLUS LES COURS DE BIOLOGIE ?
ON NE NOUS A JAMAIS APPRIS ÇA EN CLASSE !

HA HA HA !
À L'ÉCOLE, ON N'ENSEIGNE PAS LES CHOSES LES PLUS IMPOR-TANTES !
CE N'EST PAS ÇA LE PRO-BLÈME.

SI ON EN A LA VOLONTÉ, OÙ QU'ON SE TROUVE...
... ON PEUT APPRENDRE BEAUCOUP !

HA HA HA !
IL EST RUDEMENT INTÉRESSANT, VOTRE PROFESSEUR !
ALLEZ !
ON VA S'ENFONCER PLUS LOIN.
CHERCHEZ BIEN !

Nous ne marchions plus en file. Nous avancions au petit bonheur en regardant à nos pieds.

Le costume de tweed du maître se mêlait au feuillage...
... comme par ce phénomène de mimétisme chez certains animaux qui se protègent en se fondant à l'environnement.

Si je le quittais des yeux un instant, je ne le discernais plus.

Surprise, je le cherchais et je découvrais qu'il était tout à côté de moi.
OH...

VOUS ÉTIEZ LÀ !?
OÙ VOULIEZ-VOUS QUE JE SOIS !
HA HA HA HA !

Au milieu de la forêt, le maître ne me semblait plus être le même.

J'avais l'impression de voir un être qui aurait habité depuis toujours dans ces bois.

MAÎTRE !

MAÎTRE !!!

TSUKIKO !

TAC
TAC
TAC
TAC
TAC
NE VOUS AI-JE PAS DIT QUE JE SERAIS TOUJOURS PRÈS DE VOUS ?

Je suivais vaguement des yeux le costume de tweed du maître qui disparaissait puis réapparaissait dans le feuillage.
tchip
tchip
Je me demandais vraiment ce que je faisais dans un endroit pareil.

Cinquième rencontre
La Cueillette des champignons - 2

tchip
pilili
tchip
tchip
pilili
Je regardais le ciel.

Satoru, Tôru et le maître s'étaient
enfoncés dans le sous-bois.

Qu'était donc ce sentiment ?...

C'était étrange pour
moi d'être là.

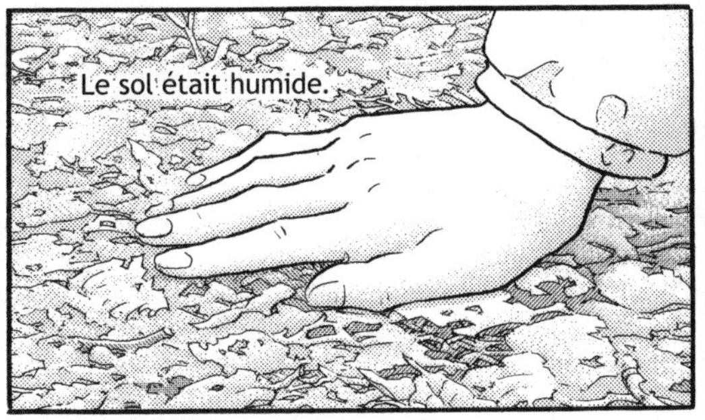

Des insectes qui rampaient sur le sol...

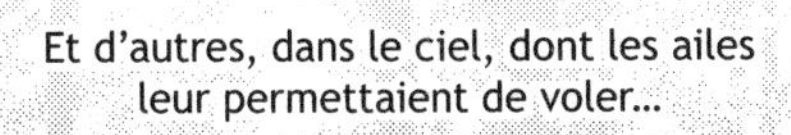

OHÉ !

TSUKIKO ! ÇA VA ?
OUI, NE VOUS INQUIÉTEZ PAS !
JE VAIS BIEN.

ALORS, VOUS AURIEZ DÛ VENIR AVEC NOUS !
REGARDEZ !
OUAH ! MAGNIFIQUE !

VOUS SAVEZ, TSUKIKO EST UN BRIN SENTIMENTALE.
...

ELLE S'EST SANS DOUTE ABÎMÉE DANS SES PENSÉES.

HA HA HA !
LE ROMANTISME DES JEUNES FILLES, C'EST ÇA ?
PARFAITEMENT !
JE SUIS UNE JEUNE ROMANTIQUE.
ALORS, DEMOISELLE TSUKIKO...
... CONSENTIRAIT-ELLE À ALLER CHERCHER DE L'EAU DANS CETTE MARMITE ? IL Y A UNE SOURCE JUSTE UN PEU PLUS HAUT.

Satoru et Tôru ont préparé avec brio les champignons cueillis.
Ils les ont débarrassés de la terre.
Ont coupé les gros, laissé tels quels les petits.

SSSH
SSSHHH
Les ont fait revenir dans une poêle.

Une fois passés à la poêle,
ils les ont jetés dans l'eau bouillante de la marmite.

Ont ajouté de la pâte de miso.

Et les ont laissés mijoter quelques instants.

OUH-FFF
HULP
OUH-FFF
OUH-FFF

FUUU
OUH-FFF
VRAIMENT EXCEL-LENT !

ÇA CROQUE SOUS LA DENT.
CROC

SUP
OUH-FFF

FIGUREZ-VOUS QU'HIER SOIR, J'AI UN PEU ÉTUDIÉ LA QUESTION DES CHAMPIGNONS.
HUP
OUH-FFF
ÉTUDIÉ ?
ON N'EST PAS PROFESSEUR POUR RIEN, HEIN ?

LES CHAMPIGNONS VÉNÉNEUX SONT PLUS NOMBREUX QU'ON NE CROIT.
CROC

COFF
COFFF

CEUX QUI ONT VRAIMENT L'AIR VÉNÉNEUX, ON N'A PAS ENVIE DE LES MANGER...
PEUT-ÊTRE...
S'IL VOUS PLAÎT, PAS QUAND ON EST EN TRAIN DE MANGER !

... MAIS CE N'EST PAS SI SIMPLE. IL PARAÎT QUE LE BOLET AMER RESSEMBLE À S'Y MÉPRENDRE AU MATSUTAKÉ.

ET PUIS, PAR EXEMPLE, L'ARMILLAIRE A EXACTEMENT LE MÊME ASPECT QUE LE SHIITAKÉ.
C'EST BIEN COMPLIQUÉ TOUT ÇA.
HI HI HI !
ÉCOUTEZ, TELS QUE VOUS NOUS VOYEZ, ÇA FAIT DES DIZAINES D'ANNÉES QU'ON RAMASSE DES CHAMPIGNONS, ET DES BIZARRES COMME CEUX DONT VOUS PARLEZ, ON N'EN A JAMAIS PRIS.

À LA VÉRITÉ, LA FEMME AVEC QUI J'ÉTAIS MARIÉ A MANGÉ UNE FOIS UN CHAMPIGNON HILARANT ET...
...

LA FEMME AVEC QUI VOUS ÉTIEZ MARIÉ...
QU'EST-CE QUE ÇA VEUT DIRE ?
JE VEUX PARLER DE MA FEMME QUI EST PARTIE, IL Y A ENVIRON QUINZE ANS.
HEIN !?...

MA FEMME ET MOI ALLIONS SOUVENT FAIRE DES RANDONNÉES.

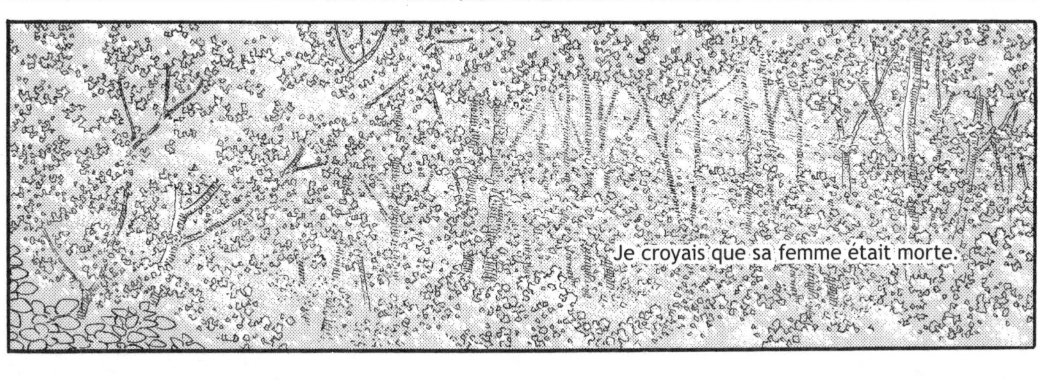
Je croyais que sa femme était morte.

À CETTE ÉPOQUE, MON FILS ALLAIT DÉJÀ À L'ÉCOLE PRIMAIRE, IL ME SEMBLE.
NOUS AVONS FAIT À PEU PRÈS TOUS LES ENDROITS UN PEU MONTAGNEUX QUI SE TROUVENT À UNE HEURE DE TRAIN.

MA FEMME LISAIT TOUS LES GUIDES SUR LES RANDONNÉES À PIED AUX ALENTOURS DE TÔKYÔ.
ELLE S'HABILLAIT EXACTEMENT COMME LE MODÈLE DE LA COUVERTURE DE CE GENRE DE LIVRES !
MÊME POUR LA MOINDRE PETITE PROMENADE, ELLE AVAIT TOUJOURS LE MÊME ÉQUIPEMENT IMPECCABLE.

C'ÉTAIT JUSTEMENT AU MÊME MOMENT DE L'ANNÉE QUE MAINTENANT.
ON AVAIT EMPORTÉ LE PIQUE-NIQUE QU'ELLE AVAIT PRÉPARÉ.

TENEZ.
DEUX RONDELLES DE CITRON MACÉRÉES DANS DU MIEL POUR CHACUN.
PAS DE RANDONNÉE EN MONTAGNE SANS ÇA ! C'EST BON ET ÇA REVIGORE !

HUUU
ÇA PIQUE...

OHHH !

SCRATCH
SCRATCH
SCRATCH
SCRATCH
POUH
EURK
ÇA T'ÉCŒURE TANT QUE ÇA ?
MOI NON PLUS, J'AIME PAS BEAUCOUP ÇA.
...
OUI.
ON VA LUI DIRE QU'ON N'AIME PAS, D'ACCORD ?
CRRR
HÉ !
REGARDEZ CE QUE J'AI TROUVÉ !
DES CHAMPI-GNONS HILARANTS !
HI HI...
...

PAS DE DOUTE, C'EST CE CHAMPIGNON.
C'EST BIEN ÇA.
IL EST PAREIL.
OUI, C'EST VRAI, TU AS RAISON.

ADMETTONS. ET ALORS, QU'EST-CE QU'ON FAIT ?
QUELLE QUESTION ! ON LES MANGE, BIEN SÛR!

TU ES BIEN SÛRE QU'ILS NE SONT PAS VÉNÉNEUX ?

NON, MAMAN...
JE T'EN PRIE !

ON RETIRE UN PEU LA TERRE...
POF
POF

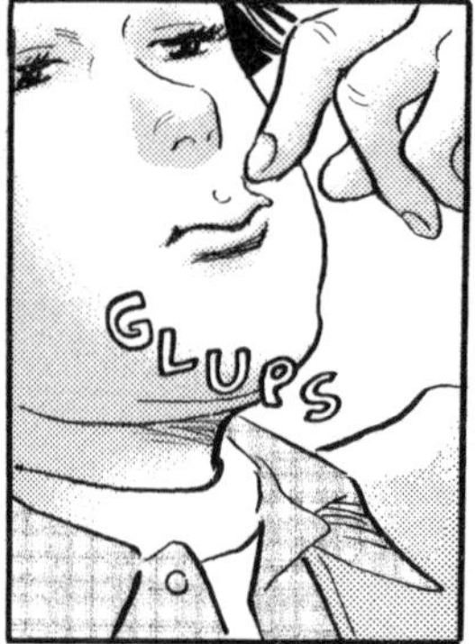
GLUPS

OH !

CRU, C'EST PAS ÉVIDENT !
CROC
CROC

AH...
MAMAAAN !!!

OUA-HHHH !
PAPA, QU'EST-CE QU'ON FAIT ?
MAMAN VA MOURIR !
MAIS NON, IDIOT.
ON NE MEURT PAS POUR UN PETIT CHAMPIGNON HILARANT !
CROC
TOI ALORS ...
TU M'ÉTONNERAS TOUJOURS !
REGARDE !
TU VOIS, ÇA VA TRÈS BIEN !
OUINNNN !
J'ÉTAIS QUAND MÊME INQUIET ET J'AI TENU À L'EMMENER À L'HÔPITAL.
MA FEMME RECHIGNAIT MAIS JE L'AI FORCÉE À REDESCENDRE.
HI HI !
HI HI HI !
NOUS ARRIVIONS AU PIED DE LA MONTAGNE QUAND LES PREMIERS SYMPTÔMES SONT APPARUS.

FUFU
HAHA !
HIHI !
HÉ !
ÇA VA ?
HIHI !
HIHIHI !
HAHA !
HA-HAHA !
HIHI !
HIHI !
ÇA A COMMENCÉ PAR DES POUFFEMENTS ESPACÉS.
ET PUIS, C'EST DEVENU UN "RIRE" QU'ELLE NE POUVAIT RÉPRIMER.
HA HA HA HA !
HA HA HA HA !
MAMAAAN !
HAHA-HAHA !
HIHIHI !
CE N'ÉTAIT PAS UN RIRE JOYEUX.
HAHA HAHA !
FU FU
HI HI !
C'ÉTAIT UN RIRE QUI EXPLOSAIT SANS QU'ELLE PUISSE LE RÉPRIMER MALGRÉ TOUS SES EFFORTS POUR L'ENDIGUER.
OHHH !
MAMAAAN !

HAHA... MA GORGE, MES JOUES, MA POITRINE...
HAHAHA !
FUFU
... RIEN NE M'OBÉIT PLUS !
HAHA-HAHA !
... TU NE PEUX VRAIMENT PAS L'ARRÊTER ?
HA HA HA !
NNNN... NON, JE PEUX PAS.
FUFU
HA
HA
HA
DIS...
... CE RIRE...
HA
HA

HA
HA
HA
HA
HA
HA
À L'HÔPITAL, ON LUI A DONNÉ QUELQUES SOINS.
HIHI !
FUFU
EFFECTIVEMENT...
HIHI !
... L'ÉTAT DE MA FEMME NE S'EST GUÈRE AMÉLIORÉ APRÈS LE TRAITEMENT ET ELLE A CONTINUÉ À RIRE JUSQU'À LA FIN DE LA JOURNÉE.
FUFU
UNE FOIS LE POISON DANS LE SANG, ON NE PEUT PLUS FAIRE GRAND-CHOSE.

J'ÉTAIS EXCÉDÉ.
LES EFFETS DU POISON ONT FINI PAR SE DISSIPER. MA FEMME A RETROUVÉ SON ÉTAT NORMAL. ET MOI, JE LUI AI FAIT UN SERMON.

MAIS À QUOI PENSES-TU DONC !?
EST-CE QUE TU TE RENDS COMPTE DU TORT QUE TU NOUS AS CAUSÉ ?
OUI.
JE SUIS VRAIMENT DÉSOLÉE...

EXCUSE-MOI.

NOTRE FILS NON PLUS D'AILLEURS.
SLUP

... JE T'AVOUE QUE JE N'AIME PAS BEAUCOUP ÇA.
ET PUIS TES RANDONNÉES, CHAQUE SEMAINE...

AU FOND, VIVRE, C'EST CAUSER DU TORT À QUELQU'UN...

...
JE SUIS DÉSOLÉE... PARDON.

IL PRÉFÉRERAIT ALLER JOUER AVEC DES COPAINS OU FAIRE PLEIN D'AUTRES CHOSES.

MOI, JE NE CAUSE DE TORT À PERSONNE !
C'EST TOI, PERSONNE D'AUTRE, QUI AS ENNUYÉ TOUT LE MONDE !
NE GÉNÉRALISE PAS CE QUI N'EST QU'UN PROBLÈME PERSONNEL, S'IL TE PLAÎT !
... OUI.
PARDON.
PLUS DE DIX ANS APRÈS, QUAND ELLE EST PARTIE...
... C'EST CETTE IMAGE D'ELLE CE JOUR-LÀ, TÊTE BAISSÉE, QUI M'EST REVENUE EN MÉMOIRE.
MA FEMME ÉTAIT UNE PERSONNE À PROBLÈMES.
MAIS AU FOND, JE NE SUIS PAS SI DIFFÉRENT D'ELLE.

MOI QUI CROYAIS QUE NOUS ÉTIONS COMME CES MARMITES FÊLÉES QUI TROUVENT QUAND MÊME LE COUVERCLE QUI LEUR CONVIENT.
IL FAUT CROIRE QUE JE N'ÉTAIS PAS LE COUVERCLE QU'IL LUI FALLAIT...

EH BEN...
ON A TOUT MANGÉ TRÈS VITE !

'Y EN AVAIT POURTANT UNE MARMITE ENTIÈRE DE CETTE SOUPE AUX CHAMPIGNONS !
À QUATRE, ÇA PART VITE !
VRAIMENT...
... CETTE SOUPE AVEC TOUS CES CHAMPIGNONS...
SLURP

... L'ARÔME QUI S'EN DÉGAGE EST PROPREMENT INEFFABLE !

OH OH ! C'EST BIEN DE VOUS, ÇA.
VOUS PARLEZ BIEN COMME UN PROFESSEUR !

BON, ON VA BOIRE UN COUP !
TÔRU, SORS LE SAKÉ !
OUI, OUI.

VOILÀ !

ET HOP !

OUAH !
TÔRU, ON DIRAIT UN PRESTIDI-GITATEUR !
HA HA !
HA HA HA ! C'EST LA FÊTE !

TENEZ.
UNE TOMATE.

AVEC ÇA, ON ÉVITE L'IVRESSE.
AH BON.

GLOUP

GLOUP

OUA-HHHH !
Après la soupe aux champignons le saké est venu réchauffer encore plus mon ventre.

La tomate était succulente aussi.
CROC

TENEZ.
DES CHAMPIGNONS SÉCHÉS.

C'EST QUOI...
... COMME CHAMPIGNON ?

UNE AMANITE TUE-MOUCHES.
HA HA HA !
C'EST UN CHAMPIGNON TRÈS VÉNÉNEUX, ÇA !
OH NON !
VOUS AVEZ VU ÇA DANS VOTRE ENCYCLOPÉDIE ?

ABSOLUMENT. REGARDEZ !
DITES DONC, CETTE ENCYCLOPÉDIE DU CHAMP... DU CHAMPIGNON, C'EST UTILE, HEIN !

VOUS AUSSI, PROFESSEUR, MANGEZ-EN.
...

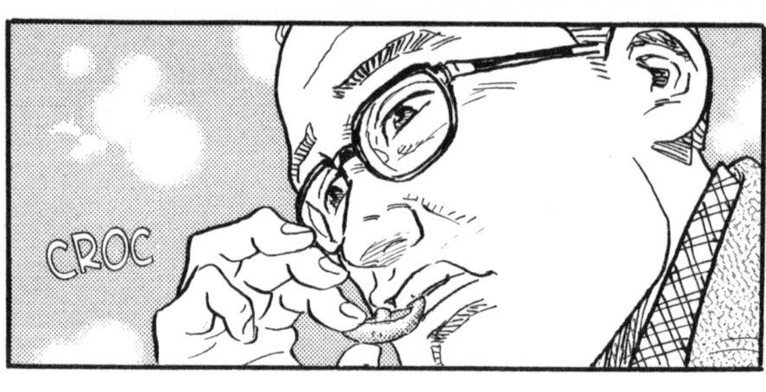
CROC

C'EST UN CHAMPIGNON VÉNÉNEUX, VOUS NE CRAIGNEZ RIEN ?
QUI SAIT.

MAIS ...
... C'EST VRAIMENT UNE AMANITE TUE-MOUCHES ?
HA HA !
VOUS N'Y PENSEZ PAS ! BIEN SÛR QUE NON !
MAIS NON, BIEN SÛR ! HA HA HA !

À MAR-
MITE
FÊLÉE...
CROC
CROC

COM-
MENT ?
À MARMITE
FÊLÉE, SON
COU-
VERCLE.

VOUS
AUSSI
TSUKIKO,
MANGEZ-
EN.
...

J'ai senti un goût
de poussière.
CROC

tchip
tchip

Nous avons continué à siroter ainsi
pendant une bonne heure.
Rien de particulier ne s'est produit.

Sur le chemin du retour, j'avais envie de rire, et de pleurer aussi.
Sans doute parce que j'étais ivre.

DITES-MOI, VOTRE FEMME QUI VOUS A QUITTÉ...
... VOUS L'AIMEZ TOUJOURS ?
HA HA HA !
HA HA HA HA !
MA FEMME RESTE POUR MOI UN ÊTRE INESTIMABLE.
HA HA HA HA !

Autour de moi, d'innombrables êtres vivants emplissaient l'air de leur bourdonnement.
tchip
pilili
pilili
tchip
tchip
Je ne comprenais absolument pas pourquoi j'étais dans un pareil endroit.

Sixième rencontre
Nouvel An

J'ai fait une bêtise.

GIII
GIII

Le néon de la cuisine a grillé.
ZUT !

JE N'ARRIVE PAS À LE DÉVISSER.

Je me battais avec ce néon depuis un bon moment.
Je n'y avais pas touché depuis plusieurs années et j'avais totalement oublié comment faire.
OH LÀ LÀ.
DANS QUEL SENS IL FAUT TOURNER ?

GNN
J'ai fini par tirer dessus de toutes mes forces.

CRASH

C'EST MALIN !

CLAC
ZUT !
SCHLAK

AÏE !

Du sang vermeil a giclé.
Apparemment, l'entaille était plus profonde que je ne l'avais cru...

... Je me suis assise un moment mais j'ai été prise d'un vertige.
Est-ce que j'allais m'évanouir ?

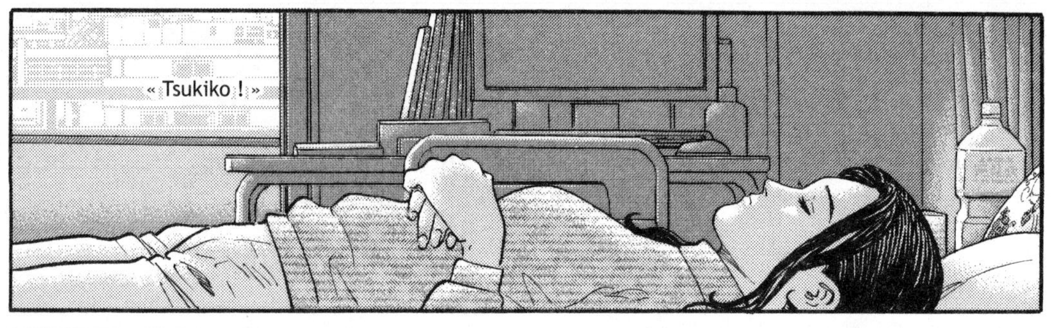
« Tsukiko ! »

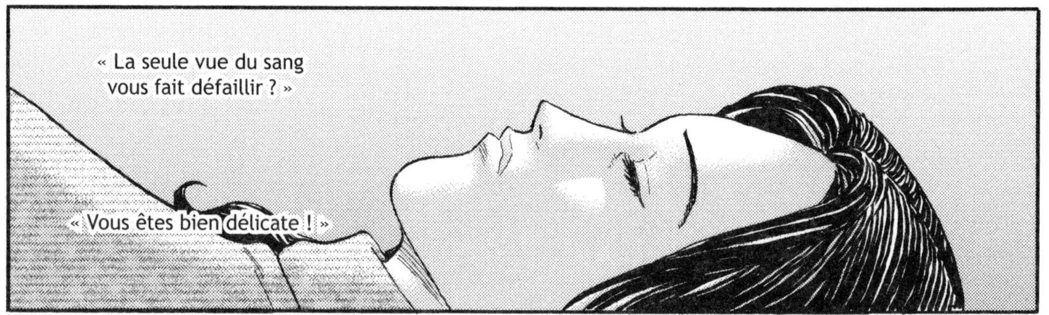
« La seule vue du sang
vous fait défaillir ? »
« Vous êtes bien délicate ! »

S'il avait été là, c'est certainement ce
qu'aurait dit le maître en riant.

Comme toujours,
après avoir passé les
fêtes du Nouvel An
chez ma mère.
J'avais passé ma journée de congé à
rêvasser dans mon futon.
Je n'avais rien mangé depuis le matin.

Le 3 janvier, mon frère était parti présenter ses vœux avec sa petite famille. Ma mère m'avait fait un tofu chaud pour le déjeuner.

BLOP
BLOP
BLOP
BLOP

HUUP
HUUP

JE ME RÉGALE !

C'EST VRAI QUE TU AS TOUJOURS AIMÉ LE TOFU CHAUD.
HUP
HUP

JE N'ARRIVE JAMAIS À LE FAIRE AUSSI BON !
TU M'ÉTONNES !
CE N'EST PAS LE MÊME TOFU.
LÀ OÙ TU HABITES, ON N'EN TROUVE PAS DE CETTE QUALITÉ.

RIEN NE VAUT LE TOFU DU MARCHAND AU COIN DE LA RUE.

C'EST VRAI.
HUUP
HUP
HUP

En général, le tofu chaud n'est pas un plat très apprécié des enfants...
... mais moi, même avant d'être en âge d'aller à l'école, j'adorais déjà celui que préparait ma mère.

HUUP

HUP

HUP

Ma mère s'est tue. Moi aussi.
Nous avons mangé en silence.
Est-ce que nous n'avions rien à nous dire ?

Nous avions sans doute des choses à nous raconter.
Mais tout à coup, nous ne savions plus de quoi parler.

Alors que nous étions proches, ou plutôt parce que nous étions proches, nous ne pouvions nous rejoindre...
Ma mère et moi avons, semble-t-il, le même caractère. C'est sans doute ce qu'aurait dit le maître.

Je ne retourne que rarement dans ma famille.
Me retrouver dans cette maison, avec ma mère, mon frère et sa femme, mes neveux et nièces braillards, j'ai l'impression que ça ne me réussit pas.

J'ai repris le travail le 6 janvier, et deux jours après, j'étais de nouveau en congé.
Je n'avais pas sommeil mais je traînais dans mon futon.

Et j'en avais oublié de manger.

Des pommes posées à côté de mon oreiller s'élevait un parfum plus fort que d'habitude.
Maman les épluche, sans les couper, en passant le couteau autour du fruit tout rond...
Ce vague souvenir m'est venu à l'esprit.

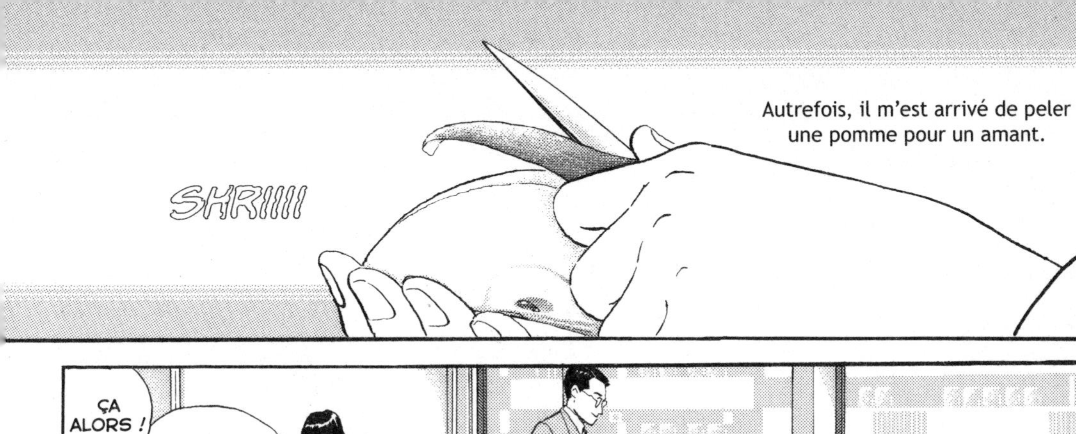
Autrefois, il m'est arrivé de peler une pomme pour un amant.
SHRIIII

ÇA ALORS !
TU ME PÈLERAIS UNE POMME, TOI ?!
TU VOIS, JE PEUX LE FAIRE !

OUI, JE VOIS ÇA.
QU'EST-CE QUE TU CROIS !

SHRIIII

ET TU CUISINES ?
BIEN SÛR !
MAIS CE N'EST PAS MON FORT, C'EST VRAI.
TIENS.

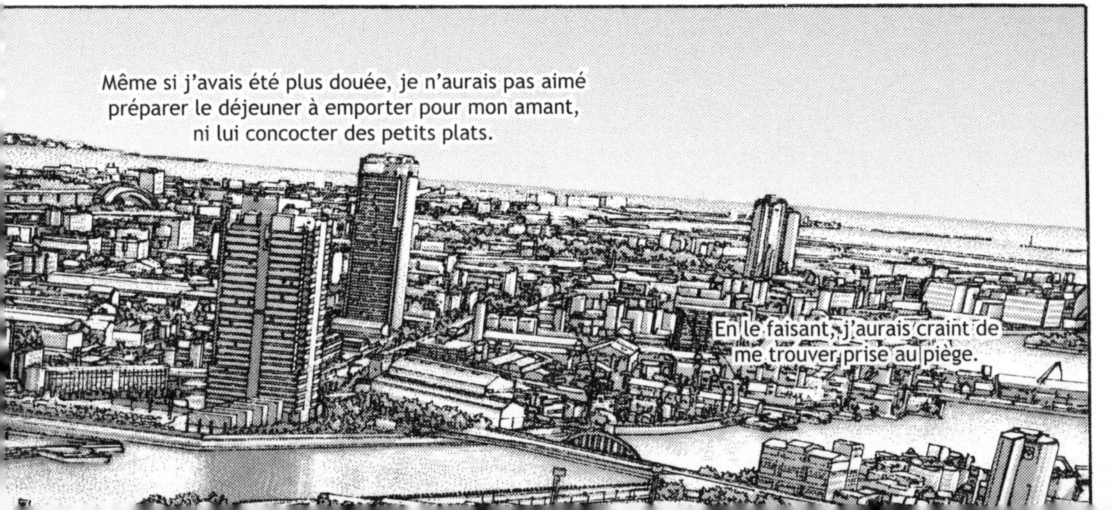
Même si j'avais été plus douée, je n'aurais pas aimé préparer le déjeuner à emporter pour mon amant, ni lui concocter des petits plats.
En le faisant, j'aurais craint de me trouver prise au piège.

Quelque temps après, nous nous sommes éloignés l'un de l'autre.

Nous avons peu à peu cessé de nous téléphoner.

Nous ne nous détestions pas.
Mais nous ne nous rencontrions plus. Et le temps a fini par passer.

OMACHI, T'ES PAS TRÈS SENTIMENTALE !
PARDON ?

TON AMI, IL M'A TÉLÉPHONÉ JE NE SAIS COMBIEN DE FOIS POUR AVOIR MON AVIS.
IL SE DEMANDAIT CE QUE TU PENSAIS VRAIMENT DE LUI.
AH BON ?

POURQUOI TU NE LUI AS PLUS TÉLÉPHONÉ ?
IL ATTENDAIT QUE TU L'APPELLES, TU SAIS !
...

MAIS POURQUOI ? ...

POURQUOI IL NE M'A RIEN DIT ? ET POURQUOI IL T'A DEMANDÉ CONSEIL À TOI ?
EUH...

QUAND ON EST AMOUREUX, ON EST INQUIET, NON ?
TU NE L'ÉTAIS PAS, TOI ?

MAIS... CE N'EST PAS ÇA LE PROBLÈME.

JE SUIS VRAIMENT DÉSOLÉE.
TU AS DÛ ÊTRE EMBARRASSÉE. ON N'ÉTAIT PAS SUR LA MÊME LONGUEUR D'ONDE...
MAIS ...

LONGUEUR D'ONDE, QU'EST-CE QUE ÇA VEUT DIRE ?
LONGUEUR D'ONDE...

TOUT ÇA, ÇA ME PASSE AU-DESSUS DE LA TÊTE !
OMACHI !

Cela faisait déjà trois mois que je ne voyais plus ce garçon.
Et cette amie s'est mariée avec lui...
... à peine six mois plus tard.

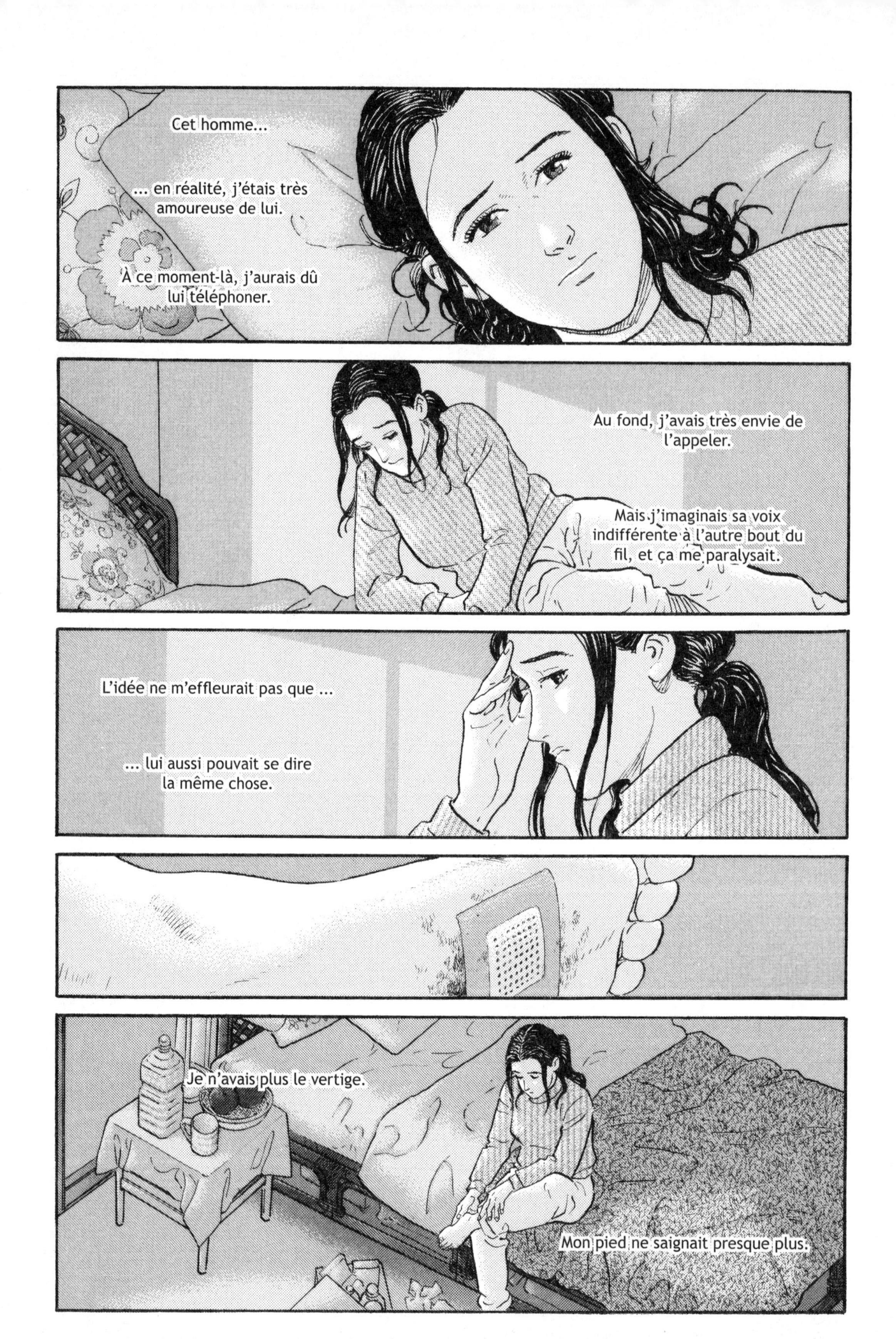
Cet homme...
... en réalité, j'étais très amoureuse de lui.
À ce moment-là, j'aurais dû lui téléphoner.
Au fond, j'avais très envie de l'appeler.
Mais j'imaginais sa voix indifférente à l'autre bout du fil, et ça me paralysait.
L'idée ne m'effleurait pas que ...
... lui aussi pouvait se dire la même chose.
Je n'avais plus le vertige.
Mon pied ne saignait presque plus.

J'ai eu envie de manger une pomme.
J'ai essayé de la peler comme le fait ma mère.

SNIF

SNIF
CROC

Soudain, des larmes ont roulé sur mes joues. J'étais stupéfaite.
Debout, devant l'évier, je croquais dans le fruit tout en pleurant.

Je suis sortie.
Les trois étoiles d'Orion se dessinaient nettement dans le ciel.

J'ai marché d'un pas vif, droit devant moi.
Au bout d'un moment, j'ai senti mon corps se réchauffer un peu.

OUAH
OUAH
OH !

OUAH
OUAH
OUAH

Des larmes me sont venues aux yeux.

J'allais sur mes quarante ans, mais j'étais comme une petite fille.

J'ai marché en balançant les bras, comme font les enfants.

ET HOP !
BLANG

BLANG
BADABLANG

CRIII
AH !

Si je trouvais une canette vide, je la shootais.

ÇA VA PAS ?!
REGARDEZ OÙ VOUS MARCHEZ !
EUH...
PAR-DON !

Je me suis fait engueuler.
De nouveau, mes yeux se sont remplis de larmes. Pourtant, c'est lui qui roulait sans lumière.

J'avais envie de m'asseoir là pour pleurer.
J'étais vraiment comme une enfant.

J'ai marché en direction de la gare.
Ce chemin auquel j'étais habituée me paraissait inconnu.
Je me sentais de plus en plus triste.

... MAÎTRE...

MAÎTRE !
JE SUIS PERDUE.

Sentant la détresse m'envahir, je me suis mise à chanter.

... DANS LE SOLEIL LEVANT...
♪ LES CIMES ARGENTÉES...

VOLTIGE LA BRUME...
♪ VOLENT LES FLOCONS ...

Je me souvenais très bien des paroles. Pas seulement le premier couplet, le deuxième aussi.
♪ JE TOURBILLONNE, JE TOURBILLONNE...
ET MOI AUSSI...

LE CIEL EST BLEU...
♪ LA TERRE EST BLANCHE...
Je suis passée au troisième mais...

LE CIEL... ... EST BLEU...

Impossible de me souvenir de la fin.
Je me suis immobilisée, plongée dans mes pensées.

Parfois, des gens approchaient, venant de la gare.

Ils passaient près de moi en m'évitant.

Je n'arrivais toujours pas à me rappeler la chanson. J'ai de nouveau eu envie de pleurer.

TSUKIKO !

TSUKIKO !

Ça ne pouvait être qu'une voix dans ma tête.
Il n'y avait aucune raison que le maître apparaisse juste à ce moment.

TSUKIKO !

... VOUS !?

COMMENT SE FAIT-IL... ?
QU'EST-CE QUE VOUS FAITES ICI ?
JE ME PROMÈNE.
QUELLE BELLE SOIRÉE !

VOUS...
TSUKIKO.
LA FIN, C'EST COMME ÇA...

♪
LALALA... LA COLLINE AU LOIN NOUS APPELLE.
C'EST ÇA, HEIN ?

OUI.
C'EST UNE CHANSON POUR LES SKIEURS.

Mes larmes ont cessé de couler.
Ensemble, nous nous sommes dirigés vers la gare.

LES JOURS FÉRIÉS, LE BISTROT DE SATORU EST FERMÉ.
SAWADA
JE SAIS.
CE N'EST PAS MAL, PARFOIS, D'ALLER AILLEURS.

CE SERA NOTRE PREMIER VERRE ENSEMBLE DE L'ANNÉE.
OUI.

AU FAIT, TSUKIKO !
JE VOUS SOUHAITE UNE TRÈS BONNE ANNÉE !

Septième rencontre

Renaissances

Pendant un mois j'ai été débordée de travail.

Enfin, un vendredi, le rythme s'est un peu ralenti.
Après avoir fait une bonne grasse matinée...

... je me suis fait couler un bain à ras bord.

J'ai mis du parfum dans l'eau chaude et m'y suis trempée et retrempée plusieurs fois.
J'ai dû passer deux bonnes heures dans la salle de bains.

J'étais seule.

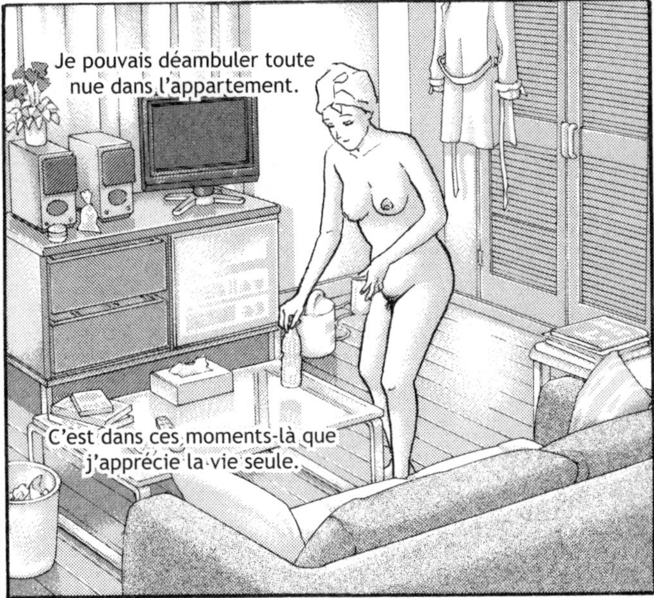
Je pouvais déambuler toute nue dans l'appartement.
C'est dans ces moments-là que j'apprécie la vie seule.

GLOUP

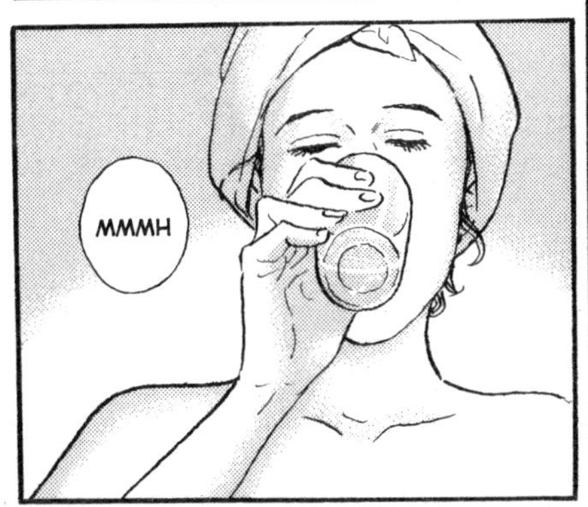
MMMH

Au fait, je n'aimais pas l'eau gazeuse quand j'étais jeune.
OUF...

Vers vingt ans, quand j'ai fait un voyage
en France avec une amie...

DO-RO...
...
SHI-RU-VU-PURÊ...

J'AI SUPER SOIF !
QU'EST-CE QU'ON A MARCHÉ !
ME-RUSHII.

OH !
EURK !
QU'EST-CE QUE T'AS ?
OMA-CHI !
EURK.
C'EST QUOI, CE TRUC ?!
C'EST DE L'EAU GA-ZEUSE !

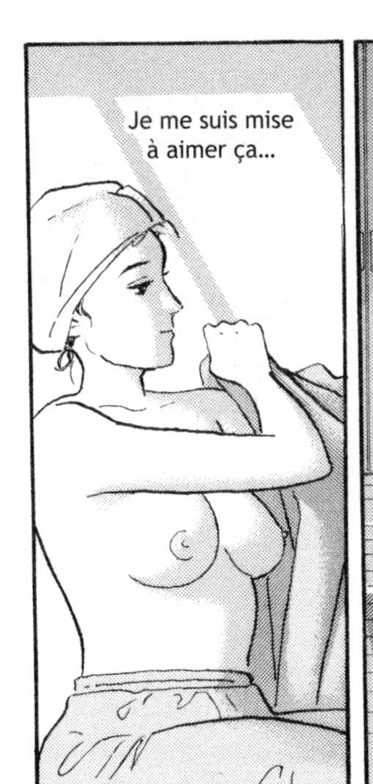
Je me suis mise
à aimer ça...

... après trente-cinq ans.
J'ai pris l'habitude de
boire du whisky-soda
ou de l'eau-de-vie
coupée d'eau gazeuse.

Maintenant, j'ai toujours
des bouteilles d'eau
pétillante Wilkinson dans
mon réfrigérateur.

VUUUUUU
Pour l'habillement,
la nourriture,
l'équipement
en général, je
m'intéresse peu
aux marques.

Mais pour l'eau gazeuse,
je ne prends que
de la Wilkinson.

La principale raison, c'est que j'en
trouve chez le marchand de saké,
tout à côté de chez moi.
Pas la peine de chercher
plus loin.

Quand je suis seule, des souvenirs anciens remontent à la surface de mon esprit...
... un peu comme ces bulles dans mon verre venaient former des cercles à la surface du liquide.

Je suis restée chez moi jusqu'au soir.

Selon le calendrier, le printemps était déjà commencé, mais les journées étaient encore courtes.

Alors que les jours commençaient à rallonger, je trouvais le crépuscule encore plus dur à supporter.
À peine ai-je pensé « tiens, voilà le soir » qu'une angoisse sourde s'est insinuée en moi.

Alors je suis sortie.

Pour m'assurer que je n'étais pas seule à vivre.

M'assurer que je n'étais pas la seule que vivre inquiétait ainsi.

Mais...

... comment aurais-je pu vérifier ce genre de choses ?

J'étais dans ce genre d'état quand je suis tombée sur le maître.
OH !

MAÎTRE !

OH !

TSU-
KIKO !
ON SE RENCONTRE SOUVENT...
... DEPUIS LE DÉBUT DE L'AN-
NÉE.

JE ME SUIS FAIT MAL AUX FESSES.

HEIN ?

QU'AVEZ-VOUS FAIT À VOS FESSES ?
IL NE FAUT PAS DIRE ÇA !

UNE JEUNE FEMME NE DOIT PAS UTILISER CE GENRE DE MOTS.

AH BON.
ALORS, QU'EST-CE QU'IL CONVIENDRAIT DE DIRE ?
DERRIÈRE PAR EXEMPLE, OU LE BAS DES REINS, QUE SAIS-JE ?
IL Y A UN TAS DE MOTS, NON ?

VRAIMENT !...
JE SUIS DÉSOLÉ DE VOIR COMBIEN LE VOCABULAIRE DES JEUNES GENS D'AUJOURD'HUI S'EST APPAUVRI !

HI HI HI !

QUOI QU'IL EN SOIT,
JE CROIS PRÉFÉRABLE DE NE PAS ALLER CHEZ SATORU CE SOIR.
JE VOIS.

SI J'AI L'AIR DE SOUFFRIR, IL S'INQUIÉTERA, VOYEZ-VOUS.
ET BOIRE EN VOYANT QU'ON SE FAIT DU SOUCI POUR MOI, CE N'EST PAS CE DONT J'AI ENVIE.
...

ALORS... ON ABANDONNE POUR AUJOURD'HUI ?
NON, CE N'EST PAS CE QUE JE VEUX DIRE.

VOUS CONNAISSEZ L'EXPRESSION "FRÔLEMENT DE MANCHES EST SIGNE DE LIEN TASHÔ" ?
"LIEN TASHÔ" ? ENTRE VOUS ET MOI ?

TSUKIKO !
CONNAISSEZ-VOUS AU MOINS LE SENS DE L'EXPRESSION "LIEN TASHÔ" ?
EUH... OUI...

IL Y A UN PETIT LIEN, C'EST ÇA ?

NON !

*Beignets de poisson et légumes dans un bouillon.

UN FLACON DE SAKÉ BIEN CHAUD, S'IL VOUS PLAÎT !
POUR MOI, UNE BIÈRE.
OUI.

LE LIEN "TASHÔ" QUE J'ÉVOQUAIS À L'INSTANT...

C'EST CE QUI UNIT DES ÊTRES, DANS UNE VIE ANTÉRIEURE.
C'EST ÇA QUE ÇA VEUT DIRE.
DANS UNE VIE ANTÉRIEURE ?

NOUS ÉTIONS UNIS DEPUIS UNE AUTRE VIE, VOUS ET MOI ?

GLUPS

UN LIEN ENTRE DEUX ÊTRES... ÇA EXISTE POUR NOUS TOUS... PROBABLEMENT...

LES VIES ANTÉRIEURES ...
... VOUS Y CROYEZ, VOUS ?

*Sorte de pâté végétal de farine de konjac ou langue du diable.

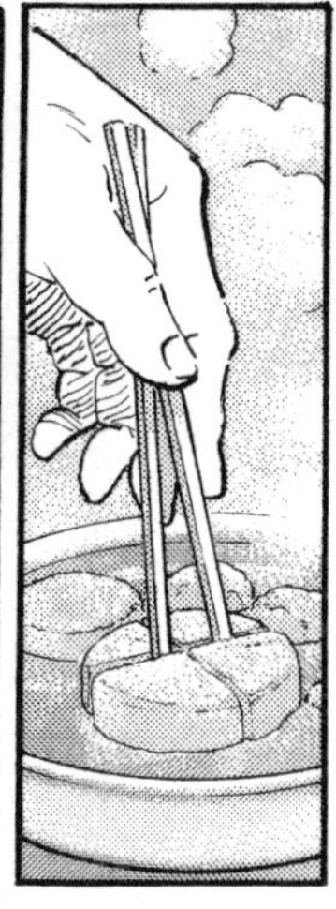

HUUP
HUUP

HUP
HUP
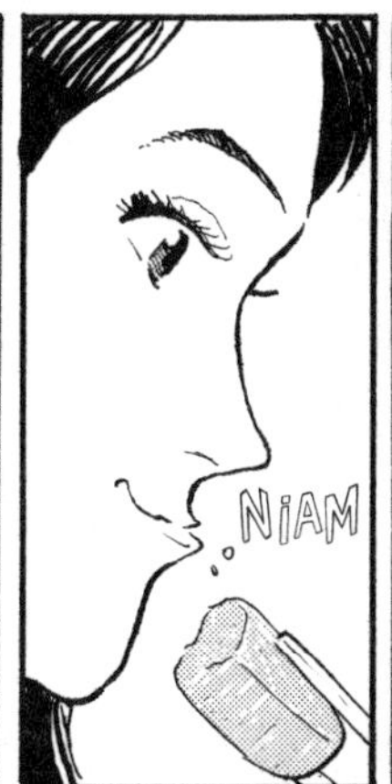
NIAM

HUP
HUP
C'EST EXCELLENT !
LE SAKÉ AUTANT QUE LES *ODEN*.

C'EST BIEN, TSUKIKO.

Tout en parlant, le maître m'a caressé légèrement la tête.

J'AIME BIEN QUE LES GENS PRENNENT PLAISIR À MANGER.
HUP
HUP
C'EST BIEN. TRÈS BIEN.

VOUS DEUX...
VOUS ÊTES QUOI, AU JUSTE ?
...

JE NE COM-PRENDS PAS VOTRE QUES-TION.

BEN...
VOUS VOUS EN FAITES PAS, HEIN ?

CE QUI VEUT DIRE ?
GLOUP

BEN, 'Y A UNE BONNE DIFFÉ-RENCE D'ÂGE, MAIS ÇA VOUS EMPÊCHE PAS DE ROUCOULER !
HIHI

À cet instant...

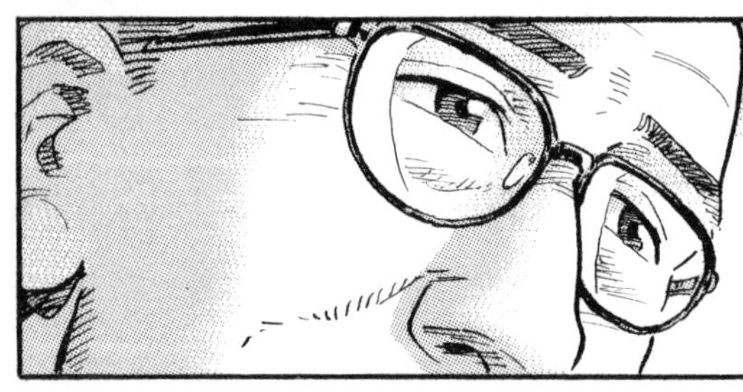
PAF
J'ai cru entendre comme le bruit d'une claque.

« Je ne parle pas avec des gens de votre espèce ! »
Je suis certaine que, dans sa tête, le maître a eu ces mots.

À VOTRE ÂGE !
C'EST VRAIMENT DÉGOÛTANT !
CE VIEUX, IL COUCHE AVEC VOUS ?

ALORS ?
COMBIEN DE FOIS PAR MOIS, HEIN ?

FOUS-MOI LA PAIX !
YASUDA !
ÇA SUFFIT !
TOI ! ...

T'M'EMMERDES !
PAF

SPLASH

AAHH...

ENF...
ENFOIRÉ...
ESSUIE-TOI.
ARRÊTE MAINTENANT !

NUL...
HOUFFF

HÉÉÉ ...
HOUF
BUUUU ...

CES DERNIERS TEMPS...
... IL A VRAIMENT LE VIN MAUVAIS !
Il a fini par s'affaler sur le comptoir et s'est mis à ronfler.

HEIN ?
JE SUIS VRAIMENT DÉSOLÉ.
TSU-KIKO.

PARDON-NEZ-MOI.
PAR MA FAUTE, VOUS AVEZ VÉCU UNE EXPÉRIENCE FORT DÉPLAISANTE.

J'étais terriblement en colère.
Mais ce n'était pas pour moi. C'était à cause de ce qui avait amené le maître à faire des excuses. Ça n'avait aucun sens.

JE VOUS EN PRIE...

NE VOUS EXCUSEZ PAS. VRAIMENT...

PATRON !
UN AUTRE FLACON... BIEN CHAUD, S'IL VOUS PLAÎT.
ENTENDU.

HIHI... !
...

HIHI-HI... !

REGAR-DEZ.

QU'EST-CE QUE C'EST ?
HAHA !
VOUS VOYEZ BIEN. CE QU'IL AVAIT À L'OREILLE.

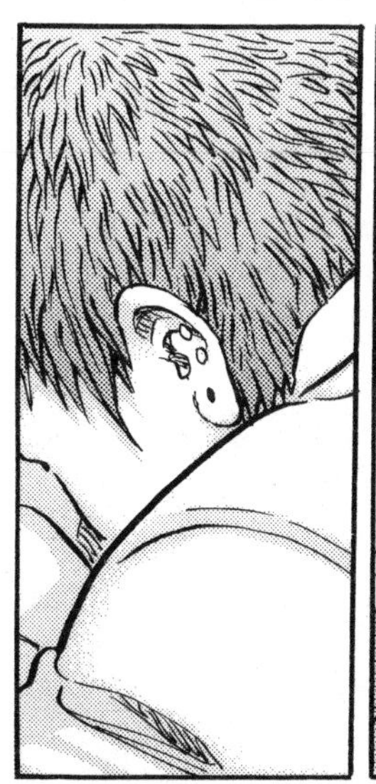

OH !

DITES...
C'EST PAS BIEN ÇA !
HIHI-HIHI !

*Écrivain japonais, 1889-1971. Recherche la profondeur par le comique et la dérision.

DITES !

EST-CE QU'IL VOUS ARRIVE DE VOUS SENTIR DÉCOURAGÉ ?

OUI.
QUAND JE ME SUIS FAIT MAL AUX FESSES, JE ME SUIS SENTI DÉCOURAGÉ.

AU FAIT, VOS FESSES ...
ENFIN NON, JE VEUX DIRE À PROPOS DE VOTRE BAS DES REINS, QU'EST-CE QUI S'EST PASSÉ ?
JE SUIS TOMBÉ DE TOUT MON POIDS. ET JE ME SUIS FRAPPÉ LE COCCYX.

HA HA !
HA HA HA !

DÉSES-PÉRÉ SERAIT UN MOT TROP FAIBLE...
CE QUE LA DOULEUR PHYSIQUE ENGENDRE, C'EST UN VRAI DÉSARROI !

LA BOUCLE D'OREILLE, QU'EST-CE QUE VOUS ALLEZ EN FAIRE ?
JE CROIS QUE JE VAIS LA RANGER DANS UN TIROIR DE MA COMMODE.
DE TEMPS EN TEMPS, JE M'AMUSERAI À LA REGARDER.

VOUS PARLEZ DE LA COMMODE AVEC LES THÉIÈRES DU TRAIN ?
EN EFFET. LA COMMODE OÙ JE RANGE LES OBJETS LIÉS À UN ÉVÉNEMENT MÉMORABLE.

CE SOIR, C'EST UNE SOIRÉE MÉMORABLE ?

IL Y AVAIT FORT LONGTEMPS QUE JE N'AVAIS PAS CHAPARDÉ !

AU FAIT ...
VERS QUEL ÂGE AVEZ-VOUS APPRIS À VOLER ?
HIHI

DANS UNE AUTRE VIE ! ... JUSTE UN PEU.
Nous avons continué à marcher lentement.
L'air de la nuit commençait à sentir le printemps.
Dans le ciel brillait une lune rousse.

Je ne pourrai jamais l'appeler Professeur Matsumoto.

Pour moi, c'est et ce sera toujours le maître.
Même si, en bonne et due forme, je devrais dire le professeur Harutsuna Matsumoto.

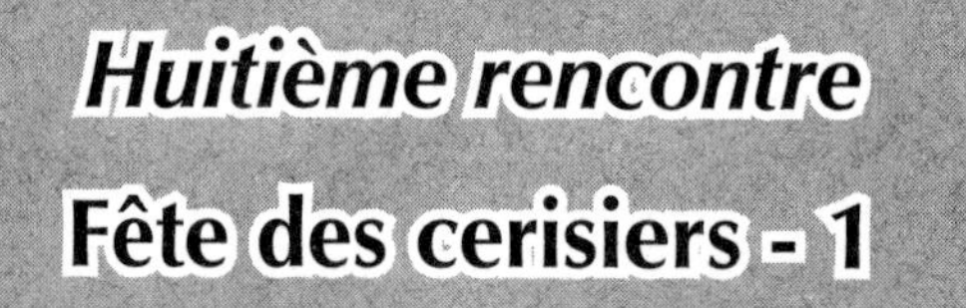
Huitième rencontre
Fête des cerisiers - 1

J'ai été intriguée quand le maître m'a annoncé qu'il avait reçu une carte postale de Madame Ishino.

C'EST UNE INVITATION POUR ALLER VOIR LES CERISIERS EN FLEURS.
C'EST UNE TRADITION.
AH BON.

ON FAIT ÇA CHAQUE ANNÉE, SUR LA DIGUE, DEVANT L'ÉCOLE, QUELQUES JOURS AVANT LA RENTRÉE DES CLASSES.

TSUKIKO, QUE DIRIEZ-VOUS...
... DE VENIR, CETTE ANNÉE ?
OUI ...

ADMIRER LES FLEURS...
C'EST BIEN...

Mon ton indiquait sans doute que je n'étais pas très emballée.

MADAME ISHINO A TOUJOURS UNE AUSSI BELLE ÉCRITURE !
...

BON ...
TRÈS BIEN.

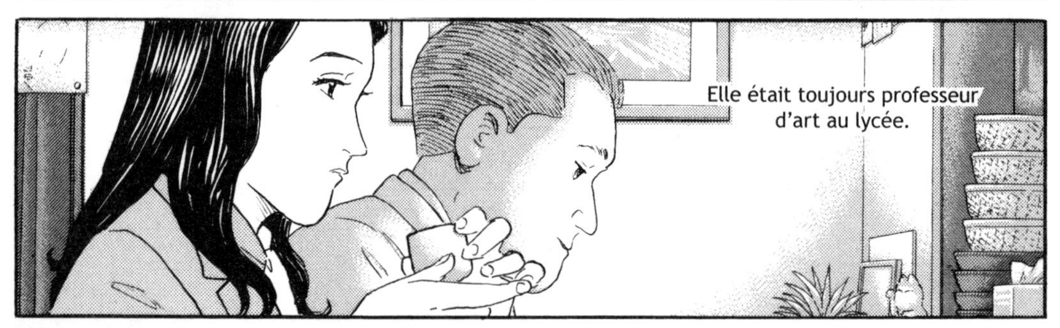
Elle était toujours professeur d'art au lycée.

Quand j'y étais élève, elle devait avoir environ trente-cinq ans.
Elle avait beaucoup de succès auprès des élèves, tant garçons que filles.

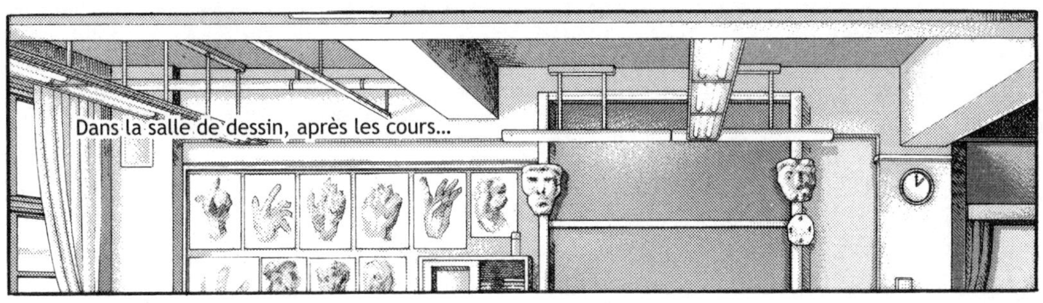
Dans la salle de dessin, après les cours...

... des élèves de la section, pas tout à fait comme les autres lycéens, se retrouvaient.
TU FAIS EXPRÈS D'IGNORER LE MODÈLE ?
YOSHIDA, ON N'Y COMPREND RIEN !
C'EST DE L'AVANT-GARDE, JE TE DIS !
OH LÀ LÀ !

ÇA SENT BON !
EH ?!
HUMM !

...

TOC
TOC
MADAME ISHINO !

OUI ?
部外者
立入禁止

SOYEZ GENTILLE !
ON VOUDRAIT BOIRE LE CAFÉ AVEC VOUS !

TCHAC
部外者

OUAAH !!!
ET VOILÀ ...
... LE CAFÉ.

Ceux qui bénéficiaient de sa présence étaient le délégué de classe, le sous-délégué, ainsi que quelques élèves de terminale.
Les plus jeunes n'avaient pas encore ce privilège.

MAIS ...
C'EST UNE NOUVELLE TASSE, NON ?
OUI.
DE LA POTERIE DE MASHIKO.

JE L'AI CUITE MOI-MÊME, DANS LE FOUR D'UN AMI POTIER.
ELLE EST UN PEU TROP ÉPAISSE...

Et puis, elle passait derrière les élèves de la section pour voir leurs travaux.

ISHINO ...
DIS...
ELLE EST CHOUETTE, HEIN ?
MMM.

PLUS TARD
JE VOUDRAIS
ÊTRE UNE
FEMME DANS
SON GENRE.

Une de mes camarades m'ayant fait cette confidence avec des trémolos dans la voix...
... j'allais parfois observer cette fameuse classe de dessin.

C'était un endroit où même les élèves qui n'appartenaient pas à la section pouvaient venir, sans se sentir importuns.
La salle était accueillante. Avec une odeur d'éther.

Et un léger parfum de tabac.

Le style de Madame Ishino m'était au fond assez indifférent.

Mais la « poterie de Mashiko faite à la main »...
... (je n'avais rien contre cette poterie en particulier, ce n'était pas ça le problème)
... c'était ce genre « fait à la main » que je n'aimais pas.

Je n'ai suivi ses cours de dessin qu'en seconde.
J'avais des notes inférieures à la moyenne de la classe.
Quand j'étais encore au lycée, elle s'est mariée avec le professeur d'histoire-géographie.

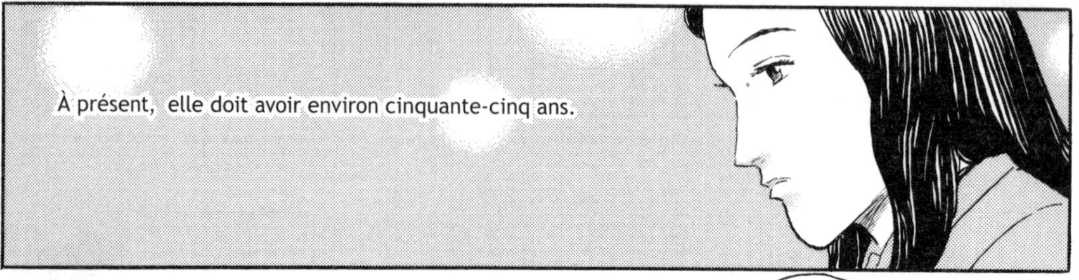
À présent, elle doit avoir environ cinquante-cinq ans.

C'EST LE 7 AVRIL !
N'OUBLIEZ PAS.
Le maître a insisté.

AU REVOIR.

BON. AU REVOIR.

...
J'ESSAIERAI DE NE PAS OUBLIER.
J'avais repris un ton sans conviction.

Je n'avais aucune envie d'aller voir les cerisiers en fleurs.
Je comptais me désister en prétextant que j'étais très occupée au bureau.
TSUKIKO !
NON.
AVEZ-VOUS PRIS UNE NATTE POUR VOUS AS-SEOIR PAR TERRE ?
NON ?!
ATTENDEZ. JE VAIS EN CHERCHER UNE.
Le jour en question...
Le maître est venu me chercher jusqu'en bas de chez moi.
Ce comportement ne lui ressemblait pas.

Sur la digue, la fête battait déjà son plein.
HAHAHA !
ÇA FAIT SI LONGTEMPS QUE ÇA ?!
VOUS ÊTES TOUJOURS AUSSI EN FORME, PROFESSEUR, BRAVO !
Il y avait là les professeurs en activité, ceux qui n'exerçaient plus...
MAIS C'EST YOSHIMOTO !
OUAH ! ÇA FAISAIT LONGTEMPS !
JE NE T'AVAIS PAS RECONNU ! ON DIRAIT UN VRAI MONSIEUR !
ARRÊTE DE TE MOQUER !
... et puis quelques anciens élèves.

C'EST TOUJOURS AUSSI ANIMÉ ?
OUI.
C'EST CHAQUE ANNÉE COMME ÇA.

AHH !
PROFESSEUR MATSUMOTO !
AH ! PROFESSEUR SETTSÛ !

ET...
... VOUS ÊTES ?...
OMACHI.

DE LA PROMOTION 91.
VOUS ÉTIEZ MON PROFESSEUR DE MATHÉMATIQUES. JE N'AVAIS PAS DE BONNES NOTES.
AH BON.
HA HA HA !
TSUKIKO N'AIMAIT PAS BEAUCOUP LES ÉTUDES.

EST-CE QUE JE PEUX...
... VENIR AVEC VOUS ?

AH ! PROFESSEUR MAKINO !
VENEZ !
LES JEUNES SONT BIENVENUS !
HA HA HA !
'Y A DE L'AMBIANCE ICI !

OH !
SHIBAZAKI ! VIENS AVEC NOUS !

HÉ !
PAR ICI, DE LA BIÈRE !

VOILÀ !
BOIS ! NE TE PRIVE PAS !
TU ES MAJEUR MAINTE-NANT !

HÉ !
ONDA ! VIENS PAR ICI !
J'ai fini par ne plus savoir qui était assis à côté de qui.

Le maître s'est retrouvé près de Madame Ishino. Il buvait du saké et avait l'air de bien s'amuser.

Il tenait à la main une brochette de poulet recouverte de sauce, achetée dans la rue commerçante.

Alors que, d'habitude, il s'obstine à ne vouloir manger que des brochettes au sel !

Les fleurs n'avaient pas encore commencé à tomber
mais, de temps en temps, sous le souffle du vent,
un ou deux pétales venaient se poser sur le sol.

ALORS, OMACHI, TOUJOURS PAS MARIÉE ?

TOUJOURS SEULE ?
Ce visage me disait quelque chose, mais je n'arrivais pas à y mettre un nom.

MARIÉE DIX-SEPT FOIS. DIVORCÉE DIX-SEPT FOIS. POUR L'HEURE, CÉLIBATAIRE.

HA HA !
UNE VIE PAS BANALE, HEIN ?
PAS TANT QUE ÇA.

MOI JE ME SUIS MARIÉ UNE FOIS ET J'AI DIVORCÉ UNE FOIS, C'EST TOUT.
AH BON ?

HA HA !
POUR L'HEURE, CÉLIBATAIRE !

Derrière ce visage rieur, je retrouvais vaguement ses traits de lycéen.

CHACUN DE SON CÔTÉ, ON EN A VU DE TOUTES LES COULEURS, HEIN ?
HA HA HA !

À force de scruter son visage souriant, je me suis enfin rappelé son nom.

Kojima Takashi. On était dans la même classe en seconde et en première.
EXCUSE-MOI...
... POUR LA MAUVAISE PLAISANTERIE, TOUT À L'HEURE.

ÇA ME RAP-PEL-LE...
... QUE C'ÉTAIT BIEN TON GENRE !
HEIN ?

DE DIRE DES CHOSES EXTRAVAGANTES AVEC UN AIR SÉRIEUX.

Est-ce que j'étais vraiment comme il le disait ?

Loin de faire des plaisanteries ou dire des inepties...
... il me semble que j'étais plutôt du genre à m'isoler dans un coin de la cour pendant les récréations.

EN CE MOMENT, TU FAIS QUOI DANS LA VIE, KOJIMA ?

JE SUIS EMPLOYÉ.
ET TOI ?

JE SUIS DANS UN BUREAU.

AH BON ?
EH OUI.

TU SAIS...

J'ÉTAIS MARIÉ AVEC AYUKO.

HEIN ?

JE NE LE SAVAIS PAS !
PARCE QU'ON NE L'A DIT À PERSONNE, OU PRESQUE.

Ayuko, c'était la fille qui m'avait dit qu'elle voulait devenir comme Madame Ishino.

D'ailleurs, Ayuko lui ressemblait un peu.

NOUS NOUS SOMMES MARIÉS QUAND NOUS ÉTIONS ENCORE ÉTUDIANTS.
MAIS NOTRE COUPLE N'A TENU QUE TROIS ANS.

VOUS VOUS ÊTES MARIÉS TRÈS TÔT !

...
AYUKO Y TENAIT.
ELLE NE VOULAIT PAS QUE NOUS VIVIONS SIMPLEMENT ENSEMBLE.

J'AI DÛ REDOUBLER UNE ANNÉE DE PRÉPA AVANT L'UNIVERSITÉ.
AYUKO A DONC COMMENCÉ À TRAVAILLER UN AN AVANT MOI.
DANS SA BOÎTE, ELLE EST TOMBÉE AMOUREUSE DE SON BOSS.

APRÈS TOUT UN TAS D'HISTOIRES ...
... ON A DÉCIDÉ DE DIVORCER.

Je me suis rappelée que Kojima et moi, nous étions sortis ensemble, une seule fois.
C'était en première. Au troisième trimestre.

Nous étions allés au cinéma.
JE VEUX PAYER !
T'IN-QUIÈTE PAS !
J'AI EU CES BILLETS PAR MON FRÈRE.

Après le cinéma, nous nous étions promenés dans un parc...
... en échangeant nos impressions sur le film.
C'est le lendemain que je m'étais souvenue que Kojima était censé ne pas avoir de frère.

ET
AYUKO,
ELLE VA
BIEN ?

OUI.
AVEC LE BOSS QU'ELLE A ÉPOUSÉ, IL SEMBLERAIT QU'ELLE HABITE DANS UNE MAISON À DEUX ÉTAGES, PARFAITEMENT RÉSISTANTE AUX SÉISMES !
OH !
RÉSISTANTE AUX SÉISMES ?

EH OUI.
PARFAITEMENT RÉSISTANTE.

TU NE VEUX PAS TE MARIER ?
NON.
ET PUIS LA RÉSISTANCE AUX SÉISMES, C'EST PAS MON TRUC...

HA HA HA !
HI HI !

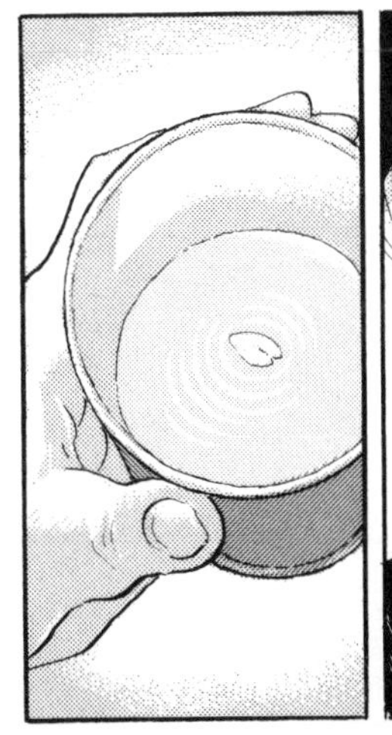

Nous avons vidé nos verres,
saké et pétales de fleurs confondus.

TSUKIKO !
VENEZ PAR ICI !
C'était la voix du professeur que j'entendais autrefois en classe.

OMA-CHI !
ON T'APPELLE.
MMM.

MONSIEUR MATSUMOTO, MOI, JE NE L'AIMAIS PAS BEAUCOUP !
ET TOI ? TU AVAIS DE BONS RAPPORTS AVEC LUI ?
JE NE ME SOU-VIENS PAS BIEN.

C'EST VRAI QUE...

... TU AS TOUJOURS ÉTÉ UN PEU AILLEURS.
COMME SI TU PENSAIS À AUTRE CHOSE.

TSUKIKO !
VENEZ VOUS JOINDRE À NOUS !
Sa voix était radicalement différente de celle qu'il avait quand nous buvions, côté à côte.

MOI...

AYUKO PARLAIT D'ELLE AVEC PASSION, TU TE RAPPELLES ?
... J'ADMIRAIS MADAME ISHINO.

IL FAUT DIRE QU'ELLE AVAIT LA COTE !

ALORS, J'AI FINI PAR M'EXTASIER AUSSI.

MADAME ISHINO, ELLE EST TOUJOURS AUSSI BELLE, HEIN ?
C'EST VRAI.

C'EST VRAI.
C'EST INCROYABLE !
ELLE A LA CINQUANTAINE, HEIN ?

Je n'entendais plus la voix du maître appeler « Tsukiko ! »

Le soleil allait bientôt se coucher.

Ici et là, des lanternes se sont allumées.
♪ J'AI COURU APRÈS LES LAPINS
... DANS CES MONTAGNES ...
La fête a redoublé d'animation. Un peu partout on commençait à chanter.
OMA-CHI !
TU NE VEUX PAS ALLER BOIRE AILLEURS ?
...
♪ J'AI PÊCHÉ...
... DANS CETTE RIVIÈRE...
TU CHANTES FAUX !

ALORS ?

JE NE SAIS PAS...

HA HA HA !
TU N'AS PAS CHANGÉ !
JE NE SAIS PAS, J'HÉSITE. TU DISAIS TOUJOURS ÇA !

EST-CE QUE J'ÉTAIS VRAIMENT COMME ÇA ?

EN PLUS, TU DISAIS ÇA AVEC CERTITUDE !
OUI, TU ÉTAIS DU GENRE À HÉSITER AVEC CONVICTION !
HA HA HA !

♪ QUE FAITES-VOUS ?...
PAPA, MAMAN...
ÊTES-VOUS EN BONNE SANTÉ ?

ON Y VA ?

♪ VOUS MES AMIS...
QU'IL PLEUVE... OU VENTE...
Les voix du maître et de Madame Ishino
parvenaient parfois fugitivement
à mes oreilles, à travers le tumulte.

Je ne saisissais pas le contenu.
J'entendais seulement
les intonations de la voix du maître,
légèrement plus aiguë que d'habitude.

ALLONS-Y !

PAR-TONS !
ALLONS BOIRE AILLEURS.
AH... !?
OK !
OMACHI !
T'ES UN PEU IMPRÉ-VISIBLE, NON ?
EH OUI !
AH BON.
HA HA HA HA !
La nuit était tombée.
J'ai jeté un œil vers le maître, mais je n'ai pas bien vu.
♪ JE ME SOUVIENS...
DE MON PAYS NATAL...

OÙ ON VA ?
ÇA M'EST ÉGAL.

Neuvième rencontre
Fête des cerisiers - 2

L'endroit où m'a emmenée Kojima Takashi
était un petit bar, au sous-sol d'un immeuble.

JE NE SAVAIS PAS QU'IL Y AVAIT DES ENDROITS COMME ÇA...
... TOUT PRÈS DE L'ÉCOLE.

AU FAIT, DEPUIS COMBIEN D'ANNÉES ...
... VIENS-TU ICI, KOJIMA ?

BIEN SÛR...
... À L'ÉPOQUE DU LYCÉE, JE N'Y VENAIS JAMAIS.

POC

LA PATRONNE ...
... MADAME MACHIDA.
BIEN-VENUE.

C'EST VRAI.
JE VENAIS SOUVENT AVEC AYUKO.

Kojima devait donc être un habitué de longue date.

OMACHI... TU N'AS PAS FAIM ?
SI, UN PEU.

AH BON.
TU SAIS, ICI, ON MANGE RUDEMENT BIEN !
MOI AUSSI.

QU'EST-CE QU'ON VA PRENDRE ?...

JE TE LAISSE DÉCIDER.
OK.
ALORS...
UNE OMELETTE AU FROMAGE.

UNE SALADE VERTE.
ET DES HUÎTRES FUMÉES.

OUI.

SANTÉ !
OUI.
À NOTRE SANTÉ !

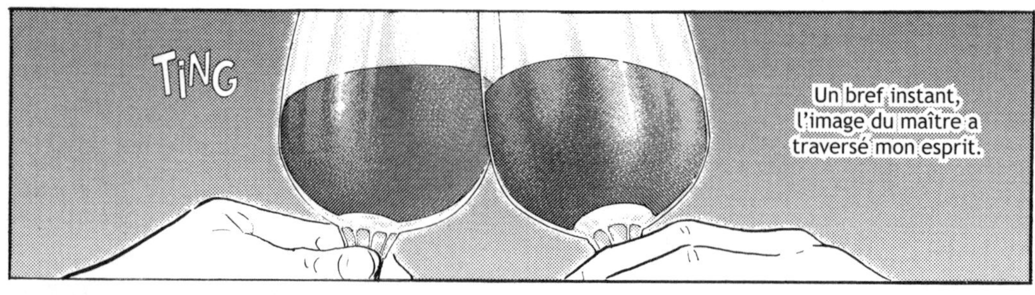
TING
Un bref instant, l'image du maître a traversé mon esprit.

Mais je l'ai immédiatement chassée de ma tête.

Le vin était moëlleux comme il fallait. Il n'avait pas encore dégagé tout son arôme.

C'EST UN BON VIN.

VOUS AVEZ EN-TENDU ?
JE VOUS REMERCIE.

EUH ...
JE VOUS EN PRIE.
HI HI !

HA HA HA !
VRAIMENT, OMACHI, TU N'AS PAS CHANGÉ !
HEIN ?
HIHI !

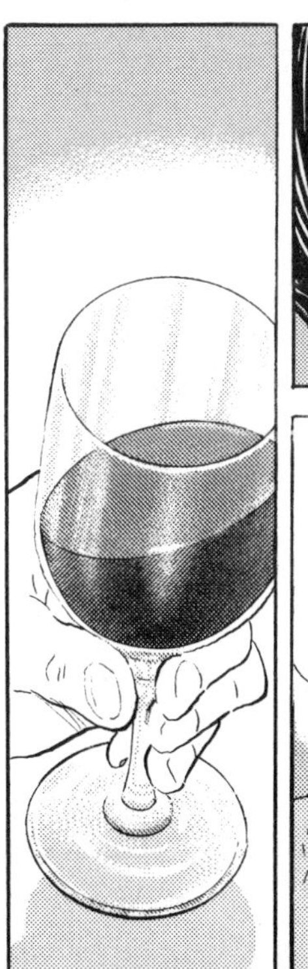

ET DIRE QU'IL Y A PLEIN DE GENS DANS LE MONDE QUI FONT TOURNER LEUR VERRE COMME MOI...
...

QUAND JE FAIS ÇA, JE ME TROUVE UN PEU RIDICULE, MAIS...
PAS DU TOUT.
CE N'EST PAS RIDICULE.

EN TOUT CAS, OMACHI, MÊME SI TU N'Y CROIS PAS, ESSAIE UN PEU POUR VOIR.
COMME ÇA ?

L'arôme s'est dégagé.

J'ai bu une gorgée.

Il m'a semblé que, bien que de façon ténue, le goût était différent de tout à l'heure.
Comment dire ?... C'était une saveur généreuse. Qui s'offrait à vous.

ÇA CHANGE TOUT.

TU AVAIS RAISON.
JE TE L'AVAIS DIT.
TU VOIS !

Je me sentais étrangement emportée dans un autre temps.

CROC
HUMM

ELLES SONT TRÈS PARFUMÉES, CES HUÎTRES.
ÇA S'ACCORDE BIEN AVEC LE VIN, HEIN ?

OUI.
UNE COMBINAISON PARFAITE.

L'omelette au fromage était onctueuse et bien chaude.
FFFU
HUMM

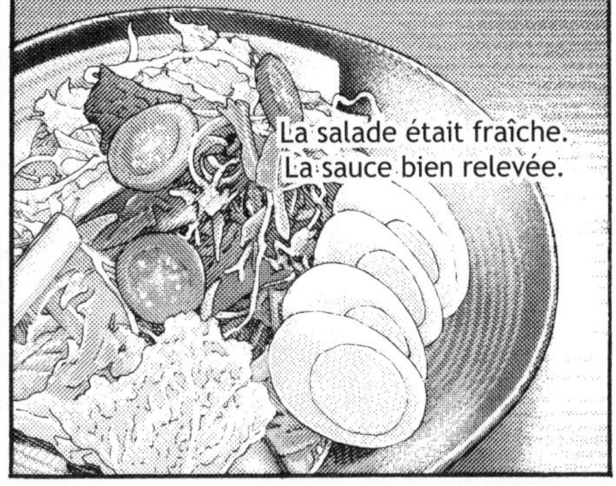
La salade était fraîche. La sauce bien relevée.

Par moments, l'image du maître effleurait mon esprit, mais...
CROC
CROC

... fugitive, elle disparaissait aussitôt.
Au comptoir du «bar Maeda», c'était comme si je flottais...

... J'avais pénétré dans un temps qui n'existait nulle part.

Nous avons terminé la bouteille de vin, sans nous presser.

Puis nous avons pris chacun un cocktail.
À base de vodka pour Kojima, de gin pour moi.

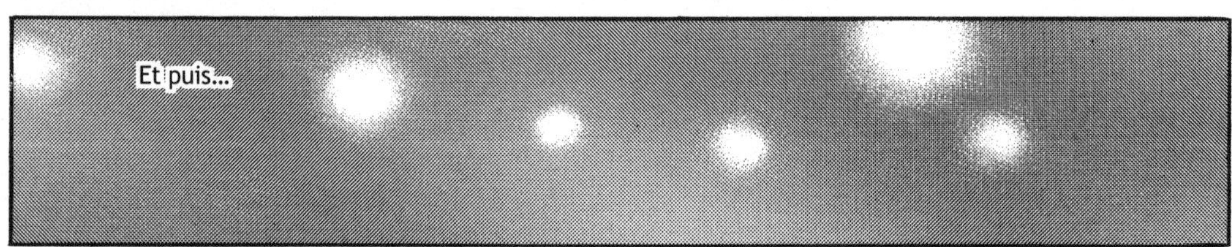

Et puis...

La soirée était plus avancée que je ne croyais.
OH !?
IL EST DÉJÀ SI TARD ?!

Il me semblait que la nuit venait à peine de tomber...
... mais il était plus de dix heures.

ON S'EN VA ?
L'air qui emplissait le bar n'était plus celui du début de soirée.

MMM.
ALLONS-Y.

C'était un air dense et rempli de parfums.
Le bar bourdonnait d'une aimable animation.

JE VAIS PAYER.
NON, LAISSE.

JE T'ASSURE !

Sans que je m'en sois aperçue, Kojima avait déjà réglé l'addition.
余市
余市
余市
余市
宮城

La lune s'était levée.

LA LUNE, COMME DANS TON PRÉNOM.

Voilà bien une phrase que le maître ne dirait jamais.

Je me suis surprise moi-même de penser au maître, ainsi, tout à coup.

Tout le temps que j'avais passé dans le bar, il était demeuré à distance.

Le bras que Kojima avait doucement passé autour de ma taille m'a soudain paru pesant.

ELLE EST TOUTE RONDE.

QU'EST-CE QUE TU AS ?
TU ES FATI-GUÉ ?

NON.
C'EST L'ÂGE...
TU N'ES PAS VIEUX !

SI, HÉLAS.
MAIS NON, ARRÊTE !

HA HA ! PARDON !
TOI ET MOI, ON A LE MÊME ÂGE, HEIN ?

JE NE PENSAIS PAS À ÇA !

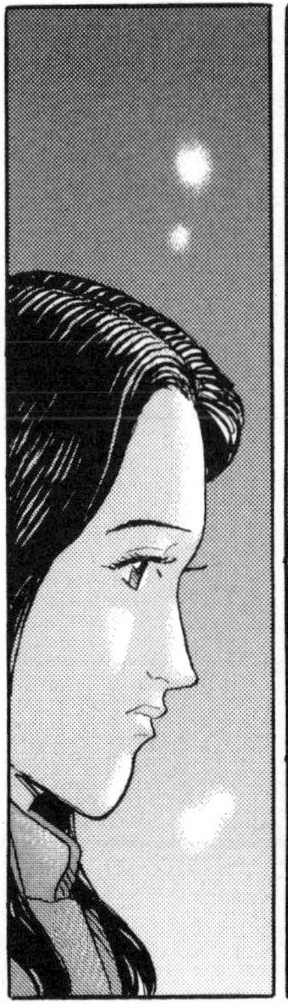

En fait, c'est le maître que j'avais en tête.

Pas une fois, il n'avait dit de lui-même qu'il était « vieux ».
Il n'avait sans doute plus l'âge de parler d'un ton léger de son âge justement. Ou plutôt ce n'était pas son genre d'y faire allusion.

Je me sentais très loin de lui.

J'ai ressenti cet éloignement physiquement, comme une douleur.

IL NE RESTE PLUS RIEN.
ILS SONT TERRIBLES !

COMMENT ÇA ?
LES PROFS, QUELLE DRÔLE DE RACE !
ILS RESPECTENT VRAIMENT LA MORALE PUBLIQUE À LA LETTRE.

IL Y A QUELQUES ANNÉES, JE SUIS DÉJÀ VENU À CETTE FÊTE DES CERISIERS.
ÇA M'AVAIT SURPRIS...

... CE GRAND MÉNAGE AUQUEL ILS S'ÉTAIENT LIVRÉS, DÈS LA FÊTE FINIE.
CERTAINS RAMASSAIENT LES DÉTRITUS.
D'AUTRES RASSEMBLAIENT LES BOUTEILLES VIDES.

ILS METTAIENT TOUT DANS LES SACS-POUBELLE QU'ILS AVAIENT PENSÉ À APPORTER.
AU MOMENT EXACT OÙ LA FÊTE SE TERMINAIT, LA CAMIONNETTE DU MARCHAND DE SAKÉ EST PASSÉE...

... POUR TOUT RÉ-CUPÉRER.
CERTAINS RÉPARTISSAIENT ÉQUITABLEMENT ENTRE LES PROFS LES BOUTEILLES PAS COMPLÈTE-MENT VIDÉES.
IL Y AVAIT AUSSI CEUX QUI APLANIS-SAIENT LE SOL AVEC LE PILON EMPRUNTÉ À L'ÉCOLE.

ET CEUX QUI RASSEMBLAIENT LES OBJETS PERDUS DANS DES CARTONS.
LES PROFS S'AFFAIRAIENT AVEC L'EFFI-CACITÉ D'UN BATAILLON PARFAITEMENT ENTRAÎNÉ.

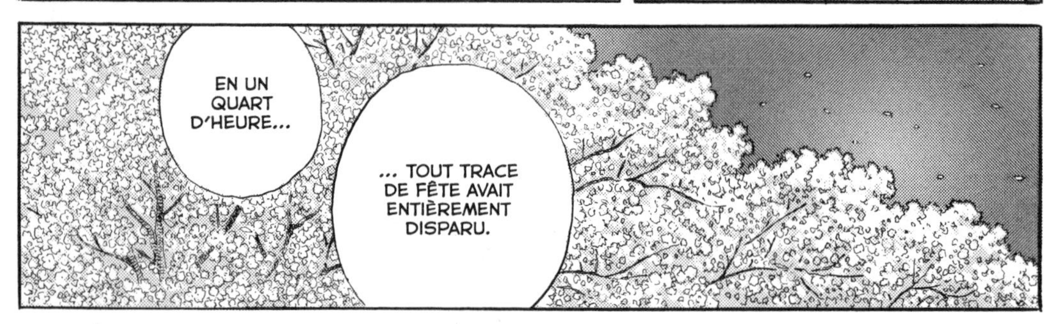
EN UN QUART D'HEURE...
... TOUT TRACE DE FÊTE AVAIT ENTIÈREMENT DISPARU.

MOI...
J'ÉTAIS TELLEMENT SIDÉRÉ QUE JE SUIS RESTÉ PLANTÉ, SANS RIEN FAIRE, À LES REGARDER.

CETTE ANNÉE AUSSI...
... ILS ONT DÛ FAIRE PAREIL.

REGARDE, TOUT EST RANGÉ IMPECCA-BLEMENT.

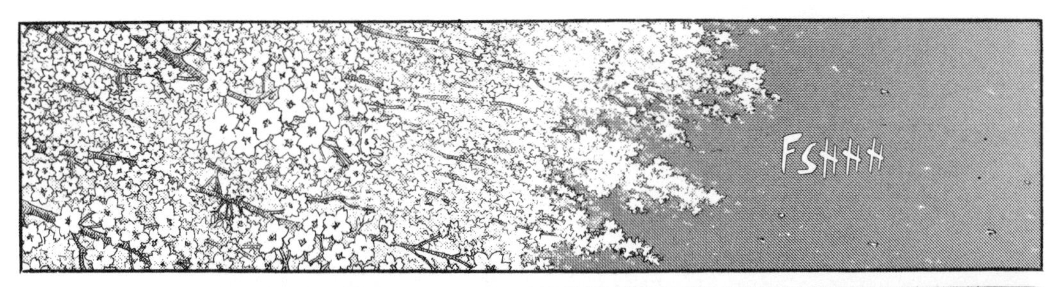
FSHHH

Qu'est-ce que je faisais là !?
Où était donc allé le maître ?

JE CROIS QUE JE SUIS UN PEU IVRE.

IL FAIT ENCORE FRAIS.

TU AS FROID ?
JE N'AI PAS DIT ÇA DANS CE SENS !

DANS CE SENS ? QUEL SENS ?
...

TU AS RI ?

HI HI !

TU N'AS TELLEMENT PAS CHANGÉ !
COMMENT ÇA ?
TU ES EXACTEMENT COMME UNE LYCÉENNE ! TOUTE TENDUE !

Vraiment ?...

C'était un peu étrange.
Est-ce que j'allais laisser Kojima me serrer de plus en plus fort contre lui ?

IL FAIT FROID.
ALLONS DANS UN ENDROIT PLUS CHAUD.

POURQUOI ?...

HEIN ?

EST-CE QUE LES CHOSES DOIVENT ALLER SI VITE ?

Zut ! Je m'en suis voulu.

C'était pourtant évident.
Ce n'était pas désagréable.
Mais ça ne me faisait pas plaisir non plus.

TU CROIS ?...

OUI.
RESTONS-EN LÀ.

PAS QUESTION.

MAIS TU N'ES PAS TRÈS AMOUREUX DE MOI.
MAIS SI ! JE T'AIME DEPUIS LE LYCÉE !

LA PREUVE, C'EST QUE JE T'AVAIS DONNÉ CE RENDEZ-VOUS.

ÇA NE S'EST PAS TRÈS BIEN PASSÉ, MAIS ENFIN ...
TU ES AMOUREUX DE MOI DEPUIS TOUT CE TEMPS ?

TU SAIS, DANS LA VIE...
... RIEN N'EST SI SIMPLE...

J'ai pensé au maître, et à moi.

MERCI POUR AUJOUR-D'HUI.
HEIN ?

C'ÉTAIT UNE BELLE SOIRÉE.

ALORS, C'EST NON ?

J'EN AI L'IMPRES-SION.

PAS DE CHAN-CE.
DÉCIDÉ-MENT, LES RENDEZ-VOUS GALANTS, C'EST PAS MON FORT.
NE CROIS PAS ÇA !
ET PUIS, TU M'AS APPRIS À TOURNER LE VIN DANS MON VERRE, PAS VRAI ?

JUSTE-MENT, CE GENRE DE TRUCS, ÇA NE VA PAS.
HEIN ?

SI. MAIS MOI JE SUIS UNE LYCÉENNE !

TOI ?
UNE LYCÉENNE ? TU PARLES !
HIHI !

TU SAIS, MADAME ISHINO...

J'AVOUE QUE JE NE L'AIMAIS PAS BEAUCOUP.
AH BON ? MOI, J'AVAIS UN FAIBLE POUR ELLE.
C'ÉTAIT PLUTÔT MONSIEUR MATSUMOTO QUI NE ME REVENAIT PAS. OBSTINÉ. PAS DU GENRE À FAIRE PREUVE D'INDULGENCE. T'ES PAS D'ACCORD ?

AH BON ? TU TROUVES ?
Insensiblement, nous nous retrouvions comme deux lycéens.
Main dans la main, nous avons marché le long de la digue.

BON.
JE TE LAISSE LÀ.

OK ?
OK. SI JE TE RACCOMPAGNE, JE RISQUE ENCORE D'AVOIR DES IDÉES ...

VLAM

VROooo

Au fond, ça ne m'aurait pas déplu qu'il ait encore des idées...

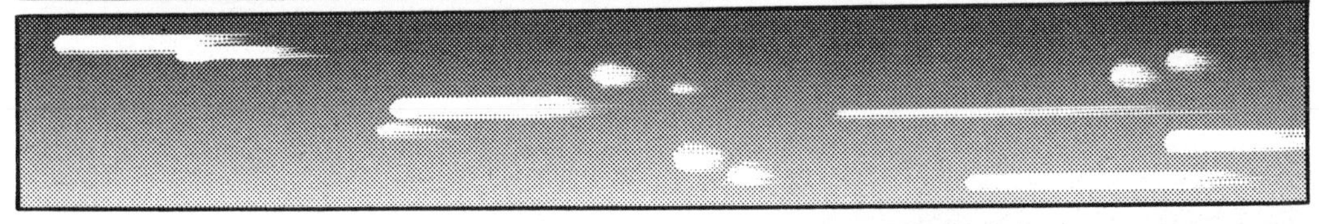

Mais je savais aussi que s'il en avait eu, après, j'aurais regretté.

MAÎTRE !

Le maître était-il allé seul chez Satoru ?

À cet instant, tout me semblait si loin.
Le maître. Kojima Takashi.
La lune aussi.

MAÎTRE !
Comment ma voix aurait-elle pu l'atteindre ?